Halina Hei

Orchidées

**Des variétés pour l'appartement,
la véranda et la serre**

Les conseils d'une spécialiste
pour l'achat, l'entretien
et la multiplication

Photos couleurs : Jürgen Stork
Illustrations : Ushie Dorner

Collection dirigée par
Patrick Mioulane

HACHETTE

Table des matières

Les hybrides de Phalænopsis *refleurissent 2 à 3 fois sur la même hampe.*

Table des matières

Fleur de Cymbidium
"Vanguard".

*Oncidium kramerianum,
originaire du Pérou.*

Photos couleurs de couverture :
Première : *Cattleya bicolor,*
orchidée à deux couleurs.
Deuxième : orchidées dans un
jardin d'hiver, avec : hybrides de
Phalænopsis et *Vanda*, *Oncidium
(Psychopsis) kramerianum,
Cymbidium devonianum,
Dendrobium densiflorum* et
Ascocentrum curvifolium.
Troisième : trois hybrides
d'*Odontoglossum* hybrides.
Dernière : hybrides roses de
Phalænopsis (en haut), hybrides
d'*Ascocenda* (en bas à gauche),
Dendrobium densiflorum var.
albo-luteum (en bas à droite).

Les orchidées s'adaptent bien à la vie en appartement. Leur culture n'est pas si difficile qu'on le croit généralement. N'hésitez donc plus à vous offrir ces merveilleuses plantes d'intérieur. Certaines orchidées, parmi les plus magnifiques, poussent sur l'appui de la fenêtre aussi facilement que des saintpaulias. Les progrès de la floriculture les ont rendues d'un prix plus abordable. De plus, l'infinie variété des formes et des couleurs comblera les plus exigeants.

L'auteur

Dans ce guide, la spécialiste allemande, Halina Heitz, vous apprend tout ce que vous devez savoir pour réussir la culture des orchidées sur le rebord de votre fenêtre. Les débutants n'auront pas de peine à suivre ses conseils clairs et précis : comment faire votre choix, respecter les exigences diverses des orchidées en matière de température, faire croître et surtout fleurir vos orchidées en intérieur. Car c'est bien la fleur qui constitue, pour l'amateur d'orchidées, l'ultime récompense de ses efforts. Pour mener à bien la culture de ces plantes, vous apprendrez tous les tours de main nécessaires. Cela vous permettra de les faire refleurir chaque année. Vous saurez tout sur leurs exigences en matière d'éclairement, d'humidité atmosphérique, d'arrosage et de fertilisation, ainsi que sur la période de repos nécessaire. Et pour vous aider à avoir les doigts verts, vous trouverez à la fin de ce manuel la description complète et les conseils de culture correspondant aux différentes espèces d'orchidées et d'hybrides que

vous pouvez faire pousser chez vous. Les nombreuses et superbes photos couleurs devraient vous séduire et vous inciter à élever toute une collection d'orchidées devant votre fenêtre.

Malgré vos soins les plus attentifs, il n'est pas toujours possible d'éviter maladies et parasites ; aussi ce guide vous indique-t-il comment les prévenir, les reconnaître et les combattre, en mettant l'accent sur les méthodes biologiques de lutte. Enfin les passionnés trouveront des indications essentielles pour multiplier leurs orchidées. Les conseils clairs et précis, les magnifiques photos couleurs (dont la plupart ont été prises expressément pour ce livre) et les nombreuses illustrations en couleurs qui expliquent les divers techniques de base vont permettre au débutant de se lancer sans difficulté dans la culture des orchidées, tout en apportant à l'amateur expérimenté de nombreux renseignements supplémentaires pour parfaire ses connaissances.

Nous vous souhaitons beaucoup de plaisir avec vos orchidées.

Important : ce livre traite de la culture des orchidées à domicile. On ne sait pas encore tout sur la toxicité de ces fleurs, aussi est-il recommandé de les tenir hors de portée des enfants et des animaux, afin d'éviter des troubles pouvant être graves. Le contact avec les orchidées velues peut être irritant pour la peau, mettez des gants pour les toucher.

Elégante et soignée
Hybride de Phalaenopsis
(ici, un nouveau cultivar)
que l'on peut élever facilement.

Ce que vous devez savoir sur les orchidées

Les orchidées sont le symbole de la tentation, créatures scintillantes, à la fois femme fatale et Don Juan, passées maîtresses dans la fabrication des parfums et des couleurs. Aucune plante ne sait aussi bien se métamorphoser et s'adapter. C'est l'une des familles les plus riches et les plus évoluées de la botanique.

La famille se présente

Les orchidées font partie de la classe des plantes monocotylédones au même titre que les palmiers, les bananiers et les Aracées, mais leurs fleurs sont plus développées. La famille, au nom scientifique d'Orchidacées, comprend près de 750 genres, 10 000 à 30 000 espèces, et plus de 70 000 cultivars hybrides. Elle représente près de 10 % de toutes les plantes à fleurs. Les botanistes eux-mêmes ne sauraient dire avec précision le nombre d'espèces existantes, car cette plante qui aime se métamorphoser ne cesse, même à l'état naturel, de multiplier les croisements.

D'où viennent les orchidées ?

On en trouve dans le monde entier, à l'exception des régions polaires et des déserts. Elles poussent dans la toundra mongolienne comme au Groenland, à proximité de sources chaudes. Une soixantaine d'espèces croissent en Europe, et 150 en Amérique du Nord. Mais la plupart vivent en Asie, continent considéré comme le berceau des orchidées. Le Mexique, l'Amérique Centrale mais aussi l'Amérique du Sud sont de véritables paradis pour les orchidées. On les découvre à chaque étage de végétation : dans la forêt tropicale, en plaine (entre 0 et 1 000 m) ou en montagne (entre 1 000 et 2 000 m), dans les régions arides tournées vers la mer et même un petit nombre d'espèces à 4 000 m d'altitude.

Les mœurs originales des orchidées

Les orchidées n'ont pas le même mode végétatif que nos plantes de jardin ou d'intérieur. C'est parce qu'elles ont dû, tout au long de l'évolution, trouver chaque fois une solution pour survivre dans les endroits les plus inhospitaliers. La capacité d'adaptation de cette toute jeune famille explique l'infinie diversité des espèces.

Orchidées terrestres : leurs racines plongent dans la terre. Les orchidées européennes, par exemple, poussent dans les prairies argileuses riches en acide silicique ; le Sabot de Vénus tropical préfère les terres humifères et légères.

Orchidées épiphytes : ce sont les as de l'escalade. Pour parvenir jusqu'à la lumière dans la forêt tropicale épaisse et sombre, elles s'installent à la cime des arbres ou des buissons. La plupart développent des racines aériennes pour s'accrocher et puiser nourriture et humidité. Mais ce ne sont pas des parasites car elles ne se nourrissent pas de leur support.

Orchidées lithophytes : (du grec *lithos* = pierre). C'est un groupe assez restreint, où l'on trouve par exemple certaines *Lælia*. Ces orchidées poussent sur des rochers ou dans des sols très pauvres.

Port caractéristique

Les orchidées ont des modes de végétation variés : quand c'est la tige principale qui s'allonge, on les dit monopodiales, quand elles se ramifient, on les qualifie de sympodiales.

Orchidées monopodiales : (illustration page 8), les nouvelles feuilles apparaissent toujours au bout de la tige principale. La plante forme chaque année de nouveaux étages, devenant ainsi de plus en plus haute. Les fleurs apparaissent sur les côtés de la tige principale. Il n'y a pas de pseudo-bulbes. Les représentants les plus caractéristiques de ce groupe sont *Vanda* (page 58), *Phalænopsis* (page 56) et *Paphiopedilum* (page 54).

Orchidées sympodiales : (illustration page 8), la tige principale n'est pas dressée, elle court sur le sol. Les nouvelles tiges se forment comme pour l'iris sur le côté, à la base de la pousse de l'année précédente et débordent du pot. Les orchidées sympodiales forment des pseudo-bulbes et leurs fleurs apparaissent

Les fleurs de Dendrobium primulinum, originaire d'Asie du sud-est, mesure près de 6 cm de large

à l'extrémité ou sur le côté des tiges. Les orchidées les plus connues dans ce groupe sont *Cattleya* (page 42) et *Cymbidium* (page 44).

A quoi servent les pseudo-bulbes ?

De nombreuses orchidées sympodiales portent une étrange excroissance d'où naissent les feuilles. Il s'agit de pousses hypertrophiées qui servent de réservoir pour l'eau et les éléments nutritifs. On les appelle pseudo-bulbes (illustration page 8). Leur rôle est de permettre à la plante de survivre à la sécheresse. Les pseudo-bulbes prennent les formes les plus variées : cylindrique, fuselée, ovoïde, en boule, en rouleau et même aplatie. Tous les pseudo-bulbes d'une même orchidée communiquent par une tige. Chaque année, un nouveau bulbe gonfle, pousse et émet une ou plusieurs feuilles. Un plus vieux se racornit, perd ses feuilles, mais continue encore un peu à alimenter le nouveau bulbe.

Racines terrestres et aériennes

Comme celles des autres plantes, les racines de l'orchidée lui servent à puiser et transporter l'eau et les éléments nutritifs. Mais ce n'est pas tout. Les espèces qui poussent sur les arbres ou sur les rochers se servent aussi de leurs racines pour s'accrocher. Elles s'ancrent si bien à leurs supports qu'il est très difficile de les en détacher.
Les racines terrestres : chez les orchidées terrestres des espèces

La formation de la pousse
Les orchidées sont à port
monopodial (à gauche) ou
sympodial (à droite).
Port monopodial : tige verticale
non ramifiée où feuilles et fleurs
se forment sur le côté.
Port sympodial : tige horizontale
sur laquelle se forment
les pseudo-bulbes.

tropicales, les racines sont épaisses.
Elles sont plus fines chez les
orchidées européennes ; la plupart
du temps non ramifiées et souvent
couvertes de poils.
Les racines aériennes : chez les
orchidées épiphytes et lithophytes,
les racines sont épaisses et
charnues. Elles plongent dans le sol,
s'accrochent, ou se balancent à l'air
libre. Ces racines aériennes
évoquent des vers, des serpents ou
des rubans, elles contiennent de la
chlorophylle et peuvent ainsi aider les
feuilles pour la photosynthèse. Elles
sont couvertes d'une pellicule gris
argenté, le velamen. Ce dernier est
formé de cellules emplies d'air. Elles
s'imprègnent comme une éponge
de l'humidité et des éléments
nutritifs, les emmagasinent, servant
ainsi d'isolation et de protection
contre les rayons ultraviolet et
la chaleur desséchante.

Le langage des feuilles

Plus que les fleurs, ce sont les feuilles
et les pseudo-bulbes qui vous
indiquent les besoins de la plante
(éclairement, page 19). Les feuilles

identifient l'orchidée comme plante
monocotylédone. Comme les
palmiers ou les graminées, ces
plantes portent des feuilles aux bords
nets et aux nervures parallèles.
Les feuilles lobées ou aux nervures
en réseau sont exceptionnelles.
Les feuilles de l'orchidée peuvent
être minuscules ou dépasser un
mètre. Elles sont disposées en
écailles ou droites comme des
bâtons. On en trouve de toutes
formes : larges ou très étroites,
minces comme du papier ou
charnues, coriaces ou molles. Chez
certaines orchidées, le feuillage est
persistant ; chez d'autres, il tombe
après chaque période de végétation.
C'est à la couleur du feuillage qu'il
est possible de deviner le type
d'emplacement où pousse
l'orchidée. Les feuilles vert foncé
indiquent un lieu pauvre en lumière,
celles d'un vert frais, un endroit bien
éclairé. Le feuillage est gris-vert si la
plante reçoit beaucoup de lumière.
Beaucoup d'orchidées ont un
feuillage tigré, panaché, ou en
damier. Certaines feuilles
ressemblent à du velours brun ou
vert, sillonné de fils d'argent ou d'or.
Chez ces espèces, la fleur est
souvent petite et quelconque,
alors que c'est la partie la plus
remarquable de la plante chez
la plupart des orchidées.

La fleur fascinante

Chez les orchidées, il existe une
infinie diversité de formes, couleurs,
dessins, structures et parfums
(illustration page 9). On trouve des
fleurs grosses comme une tête
d'épingle et d'autres qui atteignent
ou dépassent 50 cm quand on
déroule les pétales. Certaines
espèces ne forment que des fleurs
isolées. Beaucoup possèdent de
longues hampes qui portent deux à
plusieurs inflorescences. D'autres
orchidées épanouissent de lourdes
grappes pendantes ou des épis
étroits. La palette des couleurs est
très étendue, mais on trouve peu de
bleu. Les pétales d'une même fleur
sont souvent de couleurs différentes,
mouchetés, rayés ou marbrés.

Les orchidées parfumées
Certaines orchidées exhalent un
parfum destiné à attirer les insectes.
Beaucoup d'orchidées modifient
leur parfum en fonction des "clients"
qu'elles veulent attirer au cours de la
journée. Par exemple, quelques
Phalænopsis sentent le muguet ou
le citron pendant le jour ; parfois la
rose pendant la nuit. Une espèce de
Dendobrium sent la vanille le matin
de bonne heure et le lilas pendant la
nuit. Certaines orchidées imitent le
parfum du gardénia, de la jacinthe,

Les pseudo-bulbes : des organes de stockage aux formes
les plus variées
1 - cylindrique et fuselé ; 2 - ovoïde et en boule ; 3 - ellipsoïde et aplati
vers l'arrière ; 4 - aplati sur le côté.

de la giroflée, de la primevère ou du jasmin. D'autres, encore plus artistes, sentent les épices, le miel, les fruits ou le cuir de Russie. *Odontoglossum cirrhosum*, *Odontoglossum pendulum*, *Cattleya citrina* et *Epidendrum fragrans* sentent le citron, *Aerangis crispum*, l'ananas. *Vandopsis* exhale un parfum de cuir de Russie, *Maxillaria picta*, de miel. *Lycaste aromatica* et *Epidendrum radicans* ont un arôme de cannelle, *Odontoglossum ornithorhychum* et *Angræcum fragrans* exhalent la vanille, tandis que *Oncidium lanceanum* sent l'œillet. Mais si l'orchidée embaume, c'est pour séduire ses pollinisateurs, aussi trouve-t-on des espèces qui dégagent une odeur désagréable ou âcre d'antimite ou de viande putréfiée.

La structure de la fleur
En apparence, la fleur de l'orchidée semble compliquée (illustration ci-contre). Elle est en fait d'une élégante simplicité. Toutes les fleurs d'orchidée ont 6 pétales, colorés la plupart du temps, ordonnés autour d'un axe médian.
● Les trois pétales externes, formant le calice (les sépales), soudés chez certaines espèces,
● Les deux pétales internes (pétales proprement dits).
● Le labelle, de forme et de couleur remarquables, est en fait le troisième pétale, métamorphosé. Le labelle, chez les fleurs distaminées, est en forme de chausson (d'où le nom de "Sabot de Vénus"), et chez les monostaminées, en entonnoir ou en tuyau, parfois aplati et étalé, très souvent trilobé.
● La colonne, en forme de doigt, au centre de la fleur, porte les parties mâles et femelles. A l'inverse d'autres fleurs, chez qui les étamines et les carpelles sont clairement séparés, ils sont solidaires chez

l'orchidée. L'anthère qui contient les minuscules grains de pollen (pollinies), se trouve la plupart du temps au sommet de la colonne ; le stigmate, organe femelle, est placé au bas ou au devant de la colonne.

Pollinisation et formation de la graine

Couleur, parfum et structure de la fleur servent à la reproduction de

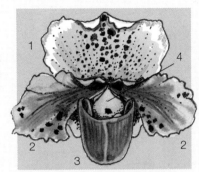

Structure d'une fleur d'orchidée
Toutes les fleurs d'orchidées sont conçues de la même manière : les sépales, ou pétales externes (1) ; les pétales internes (2) ; le labelle (3) et la colonne (4).

l'espèce. Les orchidées sont essentiellement pollinisées par les insectes, quelques-unes par les escargots, les chauve-souris ou les colibris. Chaque fleur est parfaitement adaptée au pollinisateur choisi. Elle est structurée de telle sorte qu'elle ne puisse se polliniser et se reproduire elle-même. Le labelle imite souvent à s'y méprendre le partenaire femelle d'un insecte, et exhale la même senteur (Orchis mouche, Ophrys bourdon). Après la pollinisation, les pétales se fanent, l'ovaire gonfle, et mûrit. Il contient des milliers d'ovules. Les graines sont les plus légères de

toutes les espèces de plantes. Deux ou trois graines pèsent un millionième de gramme ! *Anguola ruckeri* enferme 3,5 millions de graines dans une capsule grosse comme une noix ! Dès que l'ovule est mûr, ce qui peut prendre des mois, la capsule éclate.

Comment reconnaître le bourgeon à fleur ?

Les bourgeons floraux apparaissent en des endroits très différents de la plante suivant les genres. Chez *Paphiopedilum*, ils sortent du cœur des feuilles imbriquées en deux lignes. Chez *Vanda* et *Phalænopsis*, ils se forment sur les côtés de la tige, en angle droit par rapport aux feuilles, chez *Dendrobium*, au sommet de la plante, au niveau des nœuds. Chez *Cattleya* et *Lælia*, le bourgeon floral apparaît au sommet du bulbe, chez *Oncidium*, *Odontoglossum*, *Coelogyne* et *Miltonia*, sur le côté, à la base du bulbe.

Les orchidées sont-elles toxiques ?

Bien qu'elles ne soient pas mentionnées dans les manuels courants sur les plantes vénéneuses, cela ne veut pas dire qu'il n'existe pas d'espèces toxiques chez les orchidées. La science n'a encore guère exploré ce domaine. Veillez donc, par prudence à tenir enfants et animaux éloignés de vos orchidées. Le parfum de certaines fleurs peut donner des maux de tête. Si vous êtes très sensible voire allergique à certaines odeurs, ne disposez aucune orchidée odorante dans votre chambre à coucher. Enfin le contact avec les feuilles très velues de *Cypripedium pubescens* ou avec la sève collante du Vanillier de Cuba a déjà provoqué des irritations. Mettez donc des gants avant de manipuler les orchidées velues.

La nomenclature des orchidées

Celles qui poussent sous nos latitudes ont parfois un nom français et un nom scientifique, tandis que les espèces tropicales ne possèdent le plus souvent que leur nom botanique.

Les orchidées tropicales dans la nature

Leur nom est formé de la façon suivante :
- nom du genre, par exemple *Paphiopedilum* ;
- nom d'espèce, qui mentionne une caractéristique particulière. Par exemple, *callosum* = calleux, *niveum* = blanc comme la neige, *bellatullum* = charmant ;
- le nom de son inventeur, par exemple Rchb. f = Reichenbach filius ;
- d'autres indications comme : ssp. = *subspecies* (sous-espèce), par exemple : *Cattleya bicolor* ssp. *minasgeraisensis* ou var. = *varietas* (variété), par exemple : *Paphiopedilum primulinum* var. *purpurescens*.
Le nom français de *Paphiopedilum* est Sabot de Vénus.

Les orchidées cultivées

Leurs noms sont composés de façon tout aussi complexe.
Les hybrides d'espèce sont des croisements entre deux espèces du même genre, par exemple *Cymbidium ballianum*, obtenu par croisement horticole de *Cymbidium eburneum* avec *Cymbidium mastersii*. Si un tel croisement se produit à l'état naturel, on écrira le nom de cet hybride naturel *Cymbidium* x *ballianum*.
Les hybrides inter génériques sont des croisements entre espèces et

Coelogyne cristata aime la fraîcheur, c'est une orchidée de serre froide.

hybrides issus de genres différents. Le nom est formé à partir de celui des plantes croisées, par exemple : x *Schombocattleya* pour le croisement du genre *Cattleya* avec le genre *Schomburgkia*.

On a pu former des hybrides plurigénériques en croisant trois genres ou plus. Par exemple : x *Schombolæliocattleya*, issu du croisement de *Schomburgkia*, *Lælia* et *Cattleya*. Si on fait entrer en jeu encore d'avantage d'orchidées, on invente un nouveau nom pour éviter les patronymes impossibles : par exemple *Potinara* est issu du croisement de *Brassavola*, *Lælia*, *Cattleya* et *Sophronitis*, ou *Vuylstekeara*, du croisement de *Odontoglossum*, *Cochlioda* et *Miltonia*.

Les hybrides de genre ont un deuxième nom qui indique les espèces du genre ayant servi pour le croisement. Ainsi *Læliocattleya* Sheila = *Cattleya percivaliana* x *Lælia pumila*. Sheila est la dénomination propre à cet hybride. On appelle variété des exemplaires d'espèce pure ou d'hybride qui peuvent être multipliés (voir page 36). La variété est indiquée par un troisième nom, par exemple *Odontioda* Debutante "Oxbow".

L'histoire des orchidées

Le nom d'orchidée renvoie au nom grec des testicules : *orchis*. Theophraste (370-285 av. J.-C.) dénomme ainsi un groupe de plantes dont les racines évoquent les testicules. C'est de là que le nom est passé à la famille entière.

Miracle exotique en Europe

Saviez-vous que le *Cattleya* que vous cultivez devant votre fenêtre, - du moins son arrière-arrière-grand-mère - a déclenché la plus terrible chasse aux plantes de l'histoire ?

Tout débuta très innocemment. Il y a 170 ans, un certain William Swainson fit parvenir en Europe une cargaison de plantes du Brésil, qu'il avait enveloppées de plantes tropicales aux tiges épaisses et très feuillues. Une partie de cet envoi était destinée à l'amateur passionné Cattley. Par curiosité, il replanta également l'emballage dans sa serre et ne fut pas peu étonné lorsqu'il découvrit les premières fleurs en novembre 1818. Cette orchidée rose au labelle si coloré fit sensation. John Lindley (1795-1865), le "père des orchidées" la nomma *Cattleya labiata* en l'honneur de Mr. Cattley, et pour évoquer le magnifique labelle. Aucune des orchidées que les missionnaires et les médecins avaient jusque là rapportées du monde entier n'avait à ce point fait sensation, pas même *Bletia verrecunda*, originaire des Bahamas, qui fut la première orchidée tropicale à fleurir en Europe, en 1733.

En peu de temps la High Society de l'Empire britannique se mit en chasse. C'est à qui posséderait la plus complète collection. L'argent ne jouait aucun rôle. "L'orchidomania" conduisit à des excentricités : ainsi le sixième duc du Devonshire, William George Spencer Cavendish fit construire pour sa collection d'orchidées, qui était à l'époque la plus riche du monde, une serre haute de 18 m et longue de 91 m !

La chasse aux orchidées

La demande était devenue si grande qu'elle fit naître une nouvelle profession : les chasseurs d'orchidées. Avides d'argent, aventuriers, ils n'hésitaient pas à courir des risques mortels pour trouver les orchidées, s'exposant aux maladies tropicales, insectes, serpents venimeux, araignées géantes, bêtes féroces, à l'hostilité des indigènes et aux inondations.

Sans compter la concurrence violente, avec son cortège de corruption, intrigues, espionnage, et sans doute aussi de meurtres. Celui qui parvenait à survivre et à ramener les plantes en Europe gagnait richesses et honneurs, car l'orchidée recevait souvent son nom. La plupart des exemplaires étaient vendus aux enchères en Angleterre, à des prix qui permettraient aujourd'hui d'acheter un petit appartement. Très vite, floriculteurs et botanistes se mirent à expérimenter des méthodes de culture.

Cultivars de luxe

Le premier hybride d'orchidée fleurit en 1856, issu de *Calanthe masuca* et de *Calanthe furcata*. C'est en 1889 que Veitch produisit en Angleterre les premiers hybrides de *Cymbidium* et en 1892 apparurent au même endroit, les premiers croisements de genre entre *Cattleya*, *Lælia* et *Sophronitis*. C'est à cette époque que l'on commença à utiliser l'orchidée en fleur coupée. Mais elle était toujours très chère, rare et luxueuse. C'est ainsi que 15 variétés de *Cattleya trianæ* furent vendues lors d'une exposition 10 000 à 35 000 francs, et la variété "Imperator" atteignit 6 000 guinées (environ 40 000 francs !). En 1905, l'illustre firme Sander investit 1 000 livres anglaises par plant pour se procurer de nouveaux *Paphiopedilum fairrieanum*. Le prix le plus élevé semble avoir été payé pour un exemplaire d'*Odontoglossum crispum*. Ce n'est que lorsqu'on eût réussi à les multiplier à partir de graines que la ruée vers les orchidées se calma un peu. Elles étaient devenues accessibles au commun des mortels. Elles coûtent aujourd'hui à peine plus que les autres plantes d'intérieur, mais elles n'ont pas perdu cette renommée de fleurs rares, exotiques et luxueuses.

L'achat et le choix de l'emplacement

Lorsque vous décidez d'acheter une orchidée, votre choix doit être avant tout guidé par l'emplacement que vous pouvez lui offrir. Le reste est question de goût et de préférences en matière de couleurs et de formes. Le prix joue évidemment un grand rôle. Si vous débutez dans la culture des orchidées, ne choisissez pas tout de suite les stars, les exclusivités les plus rares, expérimentez d'abord les espèces les plus solides.

Où acheter les orchidées ?

Préférez les magasins spécialisés : chez les fleuristes, dans les jardineries, ou directement chez l'horticulteur spécialiste (voir page 60). Il vous fournira les conseils indispensables. C'est lui qui saura vous dire quelles espèces conviennent à votre mode de vie. Cela vous épargnera bien des surprises désagréables. Et si vous prenez rendez-vous, on vous aidera même à rempoter vos sujets anciens.

Orchidées par correspondance

Presque tous les spécialistes vendent par correspondance. Certains vous proposent pour un prix minime - remboursé la plupart du temps lors de l'achat - des catalogues richement illustrés.
Avantages pour les débutants : si c'est votre première commande, et si vous vous sentez peu sûr de vous, vous pouvez demander à l'horticulteur de choisir pour vous la meilleure plante ou de vous composer un assortiment pour un prix défini. Comme les orchidées ont des exigences de culture particulières, vous devez décrire à l'horticulteur l'emplacement que vous prévoyez, c'est-à-dire avant tout indiquer l'éclairement et l'humidité dont votre orchidée disposera (voir page 17). Indiquez l'exposition, et les températures moyennes en été et en hiver. Et n'hésitez pas à donner vos préférences en matière de couleurs.
Avantages pour les amateurs confirmés : on trouve chez les spécialistes, des hybrides remarquables obtenus par l'établissement ou venus de l'étranger et parfois aussi des espèces sauvages inconnues. Ne vous désolez pas si votre horticulteur ne possède pas l'espèce que vous souhaitez. Faites-lui confiance : les variétés sont si nombreuses qu'il saura vous procurer une espèce voisine.

Mon conseil : si vous commandez vos orchidées par la poste, sachez que les spécialistes suspendent les envois en période de grands froids ou de grosses chaleurs. Vous ne recevrez votre commande que lorsque les conditions de température ne présenteront plus aucun risque pour cet envoi précieux.

Au moment de l'achat

Laissez-vous d'abord guider par la qualité de la fleur. Mais n'oubliez pas d'examiner le reste de la plante. Vous reconnaîtrez une orchidée en bonne santé aux points suivants :
• pseudo-bulbes érigés, sans taches ;
• nombreuses pousses ;
• feuillage sain, sans taches ;
• nombreux bourgeons à fleurs et à feuilles.

Autres conseils
Les orchidées sont encore plus sensibles aux conditions d'éclairement et de température que les autres plantes. Assurez-vous que l'espèce choisie corresponde bien aux conditions que vous pouvez lui offrir.
La température : on classe les orchidées en trois groupes, suivant qu'elles préfèrent une température fraîche, tempérée ou chaude (voir page 19). Si vous avez déjà des orchidées, choisissez les nouvelles dans le même groupe de température.
Achetez des orchidées qui ont un nom ! Si la plante n'a pas de nom, vérifiez que ses parents sont mentionnés sur l'étiquette. Si vous ignorez tout de la plante, vous ne saurez pas lui fournir les soins adéquats.
Préférez les plantes plus âgées, elles sont plus chères que les sujets plus jeunes, mais aussi plus résistantes.
Choisissez des plantes épanouies, ou, du moins,

couvertes de boutons floraux. Elles résisteront mieux au transport et au déménagement. Préférez les hybrides, ils sont plus faciles à cultiver, car mieux adaptés à nos climats et à nos conditions d'éclairement.

Le plus avantageux : les sujets reproduits par méristèmes (voir page 36). Les orchidées qui ont été multipliées par cette méthode sont meilleur marché car le processus est plus rapide. De plus, on ne choisit pour ce mode de reproduction que les pieds-mères les plus sains et les plus florifères, ce qui est une garantie.

Protégez-les du froid si vous les achetez en hiver, veillez à ce que les orchidées soient bien emballées, surtout les sujets en boutons, car ceux-ci tombent au premier froid.

Vaporisez, n'arrosez pas tout de suite. Quand vos orchidées sont chez vous, vaporisez-les légèrement. N'arrosez pas avant le lendemain, et encore, à condition que le support soit sec.

Souvenirs de vacances et protection des espèces. Si vous allez en Thaïlande, aux Caraïbes ou en Amérique du Sud, on vous proposera des orchidées les plus somptueuses pour un prix dérisoire. Résistez à la tentation, comme à celle de cueillir les orchidées en pleine nature : cela n'en vaut pas la peine. Les plantes ne parviendront pas à s'acclimater car vous ne pouvez leur fournir les conditions nécessaires dont seul dispose le spécialiste. La plupart des sujets ne survivent pas au voyage. En outre, il vous faudra fournir à la frontière la facture et une attestation de l'état sanitaire de vos orchidées, sans compter les formalités qui tiennent aux lois qui protègent les espèces. Les orchidées sont parmi les plus

Fleur de porcelaine ; macrophotographie d'un Phalœnopsis.

Hybride de Phalœnopsis "Rudolf Baudistel" rose strié, avec labelle rouge

menacées. L'annexe 1 du traité de Washington sur la protection des espèces végétales précise que la vente de certaines orchidées est interdite. Parmi elles, *Cattleya skinneri*. C'est pourquoi j'insiste : achetez-les chez le producteur spécialiste. Mais faites-vous préciser qu'il a en sa possession tous les documents exigés pour la vente des orchidées. De nombreux orchidophiles vendent des variétés sauvages qui, dans leur pays d'origine, sont menacées, ou ont même disparu. Ils les ont reproduits par semis, ou par méristèmes.

Qu'appelle-t-on orchidées pour débutants ?

Les horticulteurs désignent ainsi les variétés naturelles ou hybrides qui s'adaptent le mieux, dont la

Humidité ambiante pour pot isolé
Posez le pot sur une soucoupe retournée, dans un récipient plus large que vous emplirez d'eau. Veillez à ce que le fond du pot reste constamment hors de l'eau.

végétation est abondante et qui refleurissent régulièrement sans difficulté. En général - mais pas toujours - les hybrides sont plus résistants que les formes sauvages puisque les éleveurs mettent tout en jeu pour les adapter à la culture en intérieur.

L'hydroculture des orchidées

Si vous aimez ce mode de culture, vous pouvez l'utiliser pour les orchidées. Achetez des sujets déjà cultivés ainsi, car la mutation de la culture sur terre à l'hydroculture est compliquée et réussit rarement aux orchidées. Veillez à ce qu'elles n'aient jamais "froid aux pieds". Installez le pot sur la plaque de protection d'un radiateur ou faites passer une résistance chauffante dans le bac d'hydroculture. *Attention :* n'achetez que des chauffages bien isolés ! Demandez conseil à votre spécialiste.

Les orchidées qui se prêtent à l'hydroculture

Les hybrides de *Cattleya*, *Phalænopsis*, *Paphiopedilum*, *Cymbidium*, *Lælia*, ainsi que *Vuylstkeara cambria*, *Doritaneopsis* et quelques autres. *Celles que vous ne pouvez cultiver ainsi,* les épiphytes, qui absorbent l'eau et les engrais par les feuilles, et les orchidées terrestres qui ont besoin de fraîcheur.

L'orchidée en fleur coupée

Considérées comme des fleurs de luxe, les orchidées ne sont pourtant plus aussi inabordables qu'autrefois. Leur prix se justifie, car elles tiennent plus longtemps que la plupart des fleurs.
- *Cymbidium*, environ 4 semaines.

- *Dendrobium phalænopsis*, environ 3 semaines.
- *Paphiopedilum* et *Phalænopsis*, environ 2 semaines.
- *Cattleya*, *Lælia* et *Oncidium*, environ 1 semaine.

Si vous désirez couper une hampe de vos propres pieds d'orchidées, limitez-vous à ces espèces ou à leurs hybrides. Pour les autres espèces, seules peuvent être coupées les variétés dont les fleurs contiennent une substance solide, presque dure, brillante comme la cire. Si les pétales sont souples et délicats, à surface mate, la fleur coupée ne tiendra pas.

Conseils pour la coupe
- Coupez vos fleurs ou hampes sous l'eau courante.
- Pour *Dendrobium*, trempez la hampe quelques instants dans l'alcool.
- Ne mettez dans le vase que de l'eau bouillie et à température ambiante.
- Recoupez la tige tous les 2 ou 3 jours.
- Rajoutez régulièrement de l'eau bouillie.
- Mettez le vase au frais pour la nuit.
- Evitez les courants d'air.

Mon conseil : si les fleurs fanent prématurément, fendez la tige sur quelques centimètres et faites-la tremper quelques heures jusqu'au dessous de la fleur dans de l'eau déminéralisée à température ambiante.

Le bon emplacement

On peut faire pousser les orchidées en de nombreux endroits, mais la plupart des espèces ont des exigences très précises : rebord de la fenêtre, véranda, ouverte ou fermée, jardin d'hiver ou serre, chaque emplacement a ses qualités propres et convient à un certain type d'orchidées.

Sur le rebord de la fenêtre
Du point de vue de l'éclairement, préférez une fenêtre ouvrant à l'est ou à l'ouest (voir page 20). Evitez les fenêtres qui surplombent un radiateur, l'air chaud monte et dessècherait la plante. Les bricoleurs adroits élargiront le rebord et construiront pour leur orchidée un muret de protection. Il est aussi possible d'installer les orchidées sur une table faite aux mesures de la fenêtre. Il est indispensable d'augmenter l'humidité ambiante (voir page 21). Si l'appui de fenêtre est froid, il faut veiller à l'isoler (voir page 19). Choisissez votre orchidée en fonction des conditions d'éclairement et d'humidité que vous pouvez lui offrir.

Mon conseil : si vous possédez une véranda, placez vos orchidées sur des étagères ou des supports de verre, c'est très beau et cela leur assure des conditions optimales d'éclairement.

Cache-pot, ou pas ? D'un côté, le cache-pot gêne l'aération des racines fragiles des orchidées ; de l'autre, il faut reconnaître qu'il met bien en valeur la beauté de la fleur. Choisissez un cache-pot qui laisse passer l'air, en vannerie ou en bambou. Le ton chaud et naturel de ces éléments décoratifs s'harmonise bien avec les orchidées.
Six espèces qui poussent bien sur le rebord de la fenêtre :
Cattleya, Cymbidium-nain, *Odontoglossum*, *Oncidium*, *Paphiopedilum*, *Phalænopsis*.

En suspension
Les plantes à port retombant sont joliment mises en valeur dans des

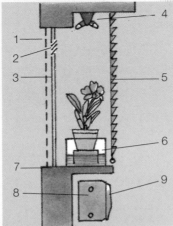

Vitrine à orchidées en coupe
C'est là que les orchidées se sentent le mieux. Ombrage (1) ; aération (2) ; vitre de protection (3) ; éclairage (4) ; jalousie ou store (5) ; jardinière-baignoire (6) ; rebord de la fenêtre (7) ; radiateur (8) ; humidificateur (9).

corbeilles de bois suspendues devant la fenêtre. On en trouve de toutes tailles, elles libèrent l'espace devant la fenêtre pour d'autres espèces.
Six espèces superbes en suspension : Brassavola, Coelogyne, *Dendrobium*, *Odontoglossum*, *Oncidium*, *Phalænopsis*.

En vitrine ouverte
C'est l'idéal si l'on veut acclimater toute une colonie exotique. On peut y faire quelques rajouts. Vous pouvez y installer une jardinière spacieuse, dont le fond sera couvert de gravier ou de sable, puis d'une couche de tourbe ou d'argile expansé. Vous pourrez y faire pousser orchidées, broméliacées et toutes autres plantes tropicales. Vous pouvez aussi installer un

ou deux troncs épiphytes pour y accrocher d'autres espèces, ou bien suspendre des corbeilles ou des morceaux d'écorce avec des orchidées devant la fenêtre. Votre vitrine (illustration ci-contre) exige une protection extérieure contre les rayons du soleil, une vitre isolante, une source d'éclairement complémentaire, un chauffage du sol, un diffuseur d'humidité et un chauffage d'ambiance. Vous pourrez alors y faire pousser toutes les orchidées qui aiment la chaleur.
Six orchidées pour votre vitrine ouverte : hybrides de *Dendrobium*, *Doritænopsis*, *Doritis pulcherrima*, *Oncidium papilio*, *Paphiopedilum callosum*, *Phalænopsis*.

En vitrine fermée
Il y règne un microclimat propice à la culture des orchidées les plus délicates. Humidité, aération, climat et éclairement sont régulés à la perfection. Vous pouvez par exemple utiliser une serre d'appartement. A exposition claire, mais sans ensoleillement direct, vous pourrez y cultiver une à deux orchidées

Humidité ambiante sur le rebord de la fenêtre
Il faut mettre juste assez d'eau pour que les orchidées gardent toujours les pieds au sec.

Suggestions pour une fenêtre exposée au sud

(chaud à tempéré)

Orchidées : *Cymbidium, Vanda*.
Autres plantes : *Allamanda, Amaryllis, Beloperone, Coleus, Crassula, Echeveria, Hibiscus*.

Suggestions pour une fenêtre exposée à l'est ou à l'ouest

(tempéré à chaud)

Orchidées : hybrides de *Cattleya, Dendrobium, Lælia, Miltonia, Odontoglossum, Paphiopedilum, Phalænopsis, Vuylstekeara*.
Autres plantes : *Æschynanthus, Anthurium*, bégonias à feuillage, Broméliacées, *Caladium, Codiæum,* Dieffenbachia, fougères, *Fittonia,* divers *Philodendrons, Pilea, Spatiphyllum*, Violettes du Cap (saintpaulia).

Suggestions pour une fenêtre exposée au nord

(frais à tempéré)

Orchidées : *Coelogyne, Dendrobium nobile, Odontonia, Oncidium, Zygopetalum*.
Autres plantes : violettes des Alpes, *Araucaria* , azalées, *Chamædorea, Cissus antarctica, Cryptanthus, Epipremnum,* fougères, *Ficus pumila,* camélias, *Rhapis*, saxifrage à stolons, *Tolmiea*.

qui exigent une humidité et une température particulièrement élevées.
Six orchidées pour vitrine fermée : toutes les variétés d'*Angræcum, Doritis pulcherrima, Oncidium kramerianum, Paphiopedilum callosum, Phalænopsis.*

Dans la véranda

C'est l'endroit idéal pour cultiver les orchidées, qu'elle soit attenante à la maison ou même, comme cela se fait de plus en plus, intégrée à celle-ci. La culture y est bien plus facile qu'en serre. Si vous chauffez votre véranda comme le séjour, vous pouvez y cultiver les orchidées tempérées ou tropicales, si elle est fraîche comme une chambre, préférez les plantes de zones tempérées ou fraîches.
Orchidées pour véranda fraîche ou tempérée : Coelogyne, hybrides de *Cymbidium, Dendrobium* pour emplacements frais, *Disa uniflora, Masdevallia, Miltonia* pour emplacements frais, hybrides d'*Odontocidium, Odontoglossum (Rossioglossum),* hybrides d'*Oncidium, Paphiopedilum* à feuillage vert, pour emplacement tempéré, *Vuystekeara cambria, Zygopetalum.*
Orchidées pour véranda tempérée à chaude : hybrides d'*Ascocenda*, hybrides de *Cattleya, Dendrobium* pour emplacement chaud, *Dendrobium phalænopsis,* hybrides de *Lælia, Oncidium* pour emplacement chaud, hybrides de *Paphiopedilum, Paphiopedilum* botaniques à feuillage marbré, hybrides de *Phalænopsis*, hybrides de *Vanda*.

En serre

Certains orchidophiles passionnés vont jusqu'à construire une serre dans le jardin quand leur collection est devenue trop importante. Cela implique évidemment la mise en œuvre de techniques spéciales de chauffage, d'humidification, d'éclairage, d'ombrage et d'aération.
La situation idéale serait :
• à proximité de la maison, pour des raisons techniques ;
• si possible non loin d'un arbre feuillu qui donne de l'ombre en été et laisse passer la lumière en hiver. La technique vous permet d'opter pour telle ou telle température, et donc de cultiver toutes les orchidées de cette zone climatique. Les fabricants sont souvent de bon conseil.

Orchidées groupées avec d'autres plantes

Les orchidées poussent mieux si elles sont associées à d'autres plantes comme c'est le cas dans leur pays d'origine. Cela tient à ce que les végétaux voisins, surtout s'ils possèdent des feuilles de grande taille, produisent par évaporation une grande quantité d'eau qui augmente le degré hygrométrique.

Les associations d'orchidophiles

Si vous cultivez des orchidées, et si vous avez l'intention de vous y consacrer pleinement, je vous conseille de faire partie d'une association d'orchidophiles.
Vous trouverez dans leur bulletin spécialisé, les dernières nouveautés concernant la culture et de nombreuses astuces. En outre, vous pourrez pratiquer des échanges, prendre des cours, suivre des conférences, participer à des ateliers pour le semis, la multiplication et la culture des orchidées de nos régions, profiter de la bibliothèque et de la photothèque (voir page 60 la liste d'adresses).

Des orchidées toute l'année

Les orchidées ne vivent pas comme les autres plantes d'appartement. Elles ne poussent pas dans la terre, mais sur un support particulier et exigent relativement peu d'éléments nutritifs. Si vous savez réguler harmonieusement les cinq éléments vitaux : température, éclairement, air, humidité et substances nutritives, vous serez récompensé par une floraison magnifique et durable.

Tout dépend du rythme de croissance

La vie des orchidées est rythmée par l'alternance de périodes de croissance et de repos. Si vous souhaitez que vos plantes refleurissent chaque année, vous devez connaître le rythme biologique de votre orchidée.

Que signifie la période de repos ? Elle correspond à la saison sèche sous les tropiques, à l'époque de notre hiver. Beaucoup d'orchidées fleurissent au début ou au cours de cette période, certaines juste après. Si elles reçoivent trop d'humidité à ce moment là, elles ne vont pas fleurir mais se contenteront de former de nouvelles pousses chétives.

Règle fondamentale : les orchidées à feuillage épais et à gros bulbe ont absolument besoin de cette période de repos. Les orchidées au feuillage délicat et souple et aux bulbes très petits, ou absents, ne doivent jamais sécher complètement. Vous trouverez les indications précises par espèce à partir de la page 39.

La température idéale pour chaque espèce

Les orchidées poussent dans les zones climatiques les plus diverses. On peut répartir grossièrement les orchidées en trois zones, suivant la température qu'elles exigent : fraîche, tempérée et chaude. Il est très important de bien connaître les exigences spécifiques de votre orchidée en matière de température. Car dans un même genre (par exemple *Dendrobium*, voir page 46), vous pouvez rencontrer des espèces dont les besoins calorifiques sont très différents. C'est pourquoi vous devez connaître le nom exact de votre plante (voir page 12).

Pourquoi faut-il diminuer la température la nuit ? Les espèces qui poussent dans les régions les plus chaudes sont accoutumées à ce que la température baisse de 7 à 12 °C la nuit. Cette différence de température est indispensable à de nombreuses orchidées pour la formation des fleurs. En culture, elle doit être au moins de 4 à 6 °C. Le principe fondamental est le suivant : plus la température est élevée, plus le degré hygrométrique doit l'être également (voir page 21).

Mon conseil : si vous désirez cultiver plusieurs orchidées d'espèces différentes, pensez à ne mettre au même emplacement que des espèces qui supportent les mêmes températures (voir tableau page 19).

Rythme de croissance et soins de culture

Saison	Période de végétation	Exigences de culture
Fin de l'hiver/ début du printemps	Jeunes pousses.	Augmenter l'éclairement et les arrosages.
Début de l'été/été	Croissance.	Fertilisation, eau, chaleur.
Fin de l'été/automne	Bulbes, maturité des tiges, formation des boutons floraux.	Baisser la température nocturne, lumière d'automne, réduire peu à peu les arrosages.
Automne/hiver	Période de repos/floraison.	Plus de lumière, moins d'eau.

Mesurer la température

La plupart des orchidées supportent bien les températures de nos appartements. Vous n'avez besoin que d'un seul thermomètre pour mesurer ces données. Préférez ceux qui vous indiquent les minima et maxima afin de vérifier l'écart entre les températures diurne et nocturne. Accrochez le thermomètre à proximité immédiate des plantes, la température varie considérablement entre le bord de la fenêtre et le centre de la pièce.

Température et emplacement

Evitez de placer vos orchidées dans des conditions qui leur sont défavorables ; les plus fréquentes sont les suivantes :
• ensoleillement direct, qui fait monter rapidement les températures, malgré l'ombrage et l'humidité ambiante ;
• trop près de la vitre : les feuilles risquent d'avoir trop chaud en été et froid en hiver ;
• sur un rebord de pierre : en hiver, il est de quelques degrés plus froid que la pièce ;
• exposées aux courants d'air, près d'une fenêtre mal isolée.

Soins particuliers en hiver

Faites le test de la bougie si vous laissez vos orchidées sur l'appui de la fenêtre en hiver. Placez-y une bougie allumée. Si la flamme est bien droite, la fenêtre est suffisamment isolée. Si elle vacille, vérifiez l'isolation. Si le rebord de

◁ *Orchidées à la fenêtre*
Pour favoriser la croissance de vos plantes, choisissez l'emplacement le plus éclairé. Ici: hybrides de Cattleya *(rose),* Phalænopsis *(rose et blanc),* Oncidium *(jaune) et* Paphiopedilum *(violet pourpre).*

Cycle annuel des températures suivant la zone

Zone de température	Eté/ jour	Eté/ nuit	Hiver/ jour	Hiver/ nuit
Fraîche	16 °C	13 °C	13 °C	10 °C
Tempérée	20 °C	18 °C	16 °C	13 °C
Chaude	25 °C	20 °C	20 °C	18 °C

la fenêtre est en pierre, il vous faut absolument un matelas chauffant, ou du moins une couche isolante que vous placerez sous les pots ou sous l'installation de vos orchidées. Même les orchidées des régions froides ne supportent pas d'avoir "froid aux pieds". Dans leur pays d'origine, l'air est frais, mais le sol reste chaud. L'hiver, augmentez l'humidité ambiante si vos orchidées se trouvent au-dessus d'une source de chaleur (voir page 21).

Eclairez en fonction des besoins

Outre la température, c'est l'éclairement qui influence les principales étapes de la végétation : germination, croissance et formation des fleurs. Comme pour la température, les exigences d'éclairement des orchidées sont fonction de leurs origines.

Les repères des besoins en lumière : il est nécessaire de s'adapter aux conditions d'éclairement qui ont façonné au fil de millions d'années la structure de l'orchidée. C'est pourquoi vous ne devez pas ignorer le nom de votre plante si vous voulez connaître ses besoins en lumière.
• Les orchidées terrestres, sans bulbe, et aux feuilles relativement molles n'aiment pas l'ensoleillement direct.
Ex. : *Paphiopedilum.*

• Les épiphytes, aux feuilles épaisses et charnues, et qui n'ont pas de bulbe, ne supportent pas non plus le soleil.
Ex. : *Phalænopsis.*
• Les orchidées aux feuilles plus ou moins coriaces, de surface importante, aux bulbes plus ou moins importants ont besoin de beaucoup de lumière pour former et faire mûrir les boutons à fleurs.
Ex : *Cattleya*, *Cymbidium*, *Lælia*, *Odontoglossum*, *Oncidium*.
• Les orchidées aux feuilles étroites et coriaces et aux bulbes très importants adorent le soleil.
Ex : *Vanda*.
• Les orchidées aux feuilles oblongues, rainurées et sans bulbes sont accoutumées à un éclairement très intense.
Ex : *Dendrobium striolatum*.

Comment mesurer la lumière ?

En général, les orchidées ont besoin d'un éclairement de 6 000 à 10 000 lux pour bien pousser.
C'est l'éclairement que l'on peut trouver à proximité d'une fenêtre. Mais attention : à un mètre seulement de la fenêtre, l'intensité lumineuse n'est déjà plus que le quart de ces valeurs.
On ne peut mesurer la lumière avec exactitude qu'avec un luxmètre (vous en trouverez dans certaines jardineries ou dans les magasins spécialisés pour la photo).

Cymbidium-nain en pleine floraison. Ce sujet a plus de dix ans.

Quelle est la meilleure exposition ?

Si l'on part de l'hypothèse d'une fenêtre libre, c'est-à-dire non cachée par un immeuble ou un arbre, voici les meilleures conditions pour votre orchidée :
- à l'est ou à l'ouest : 3 000 à 5 000 lux ;
- au nord : 800 à 1 000 lux (possible seulement en plein été ou pour les espèces qui préfèrent l'ombre) ;
- au sud : jusqu'à 20 000 lux ; exposition idéale en hiver, mais

pour les autres saisons, il faudra ombrager avec rideaux, stores, marquise, papier de soie ou avec d'autres plantes : en avril, entre 11 et 16 h, de mai à août, entre 10 et 18 h.

Mon conseil : plus l'orchidée reçoit d'humidité et d'air, plus elle a besoin d'éclairement et de chaleur.

L'éclairage électrique

Vous pouvez faire pousser des orchidées près d'une fenêtre au nord, dans un coin sombre ou dans

la cave, si vous leur fournissez une lumière artificielle adaptée. Sachez que les lampes à incandescence ordinaires ne satisferont pas les besoins de vos plantes. Vous devez vous procurer des modèles spéciaux à spectre solaire, bien adaptés pour l'éclairage des plantes. Préférez les tubes fluorescents. Placez-en deux, espacés de 6 cm, à environ 50 cm au-dessus des orchidées. Faites-les, de préférence, installer par un spécialiste et procurez-vous une minuterie, car vous ne devez pas laisser les lampes allumées en permanence. A la place des tubes, vous pouvez trouver des suspensions ou des appliques, que vous ferez pendre ou poserez au mur, isolées ou en rangs. Ces éclairages requièrent une installation particulière, faites-la réaliser par votre électricien. Une heure d'éclairage complémentaire avec cette lumière ne coûte que quelques centimes.

Attention ! N'achetez que des luminaires étanches, à cause de l'eau que vous vaporisez. Exigez de votre électricien une facture détaillée afin de garantir la conformité de votre installation.

L'éclairage artificiel, quand, et combien de temps ? L'éclairage, naturel et artificiel additionnés, ne doivent pas durer plus de 14 h. Durée de l'éclairage artificiel :
• Si vous cultivez votre orchidée dans un endroit sombre, 14 h au maximum.
• En automne et en hiver, quand il fait beau, 2 h le matin et l'après-midi.
• En automne et hiver, quand il fait mauvais, 12 h dans la journée.

Mon conseil : l'éclairage artificiel est un véritable sanatorium pour les orchidées qui viennent d'être rempotées ou qui ont manqué de lumière. Si vous ne possédez qu'une source de lumière, placez-la de préférence à proximité des orchidées que vous souhaitez voir fleurir. Vous trouverez les indications sur le moment propice dans les instructions page 39.

L'humidité atmosphérique, élixir de longue vie

Une hygrométrie de 60 à 70 % est le climat idéal pour les orchidées. En été, le manque d'humidité n'est pas très grave. Quand il fait beau, le degré hygrométrique, à l'intérieur, est d'environ 50 % ;

il passe de 60 à 80 % par temps pluvieux. Au dehors, dans un endroit aéré et ensoleillé, par temps couvert les conditions sont même encore plus favorables.

La période critique, reste l'hiver. Dans la plupart des appartements, les radiateurs se trouvent juste sous la fenêtre, l'endroit où se trouvent de préférence les orchidées. Le degré hygrométrique tombe facilement en dessous de 40 %, ce qui est très insuffisant

Qu'est-ce que le degré hygrométrique ?
On appelle ainsi le pourcentage de vapeur d'eau dans l'air. 0 % veut dire sécheresse absolue, 100 %, brouillard saturé de vapeur d'eau.

Comment le mesure-t-on ?
Avec un hygromètre. Cet appareil est souvent associé à un baromètre et un thermomètre (chez l'opticien) ou isolé (dans les commerces spécialisés pour orchidées). L'amateur peut ainsi contrôler de près le degré d'humidité. Il s'apercevra que l'hygrométrie est sujette à d'incessantes modifications. Il faut veiller à ce qu'elle ne descende pas en dessous de 60 %.

Comment augmenter le taux d'hygrométrie ?
Vaporisateur, humidificateur électrique, installations spéciales pour les orchidées, comportant une sorte de baignoire (illustration page 22) sont les moyens les plus courants.
Le vaporisateur : à utiliser quotidiennement. Réglez sur la vaporisation la plus fine possible et ne mouillez que les feuilles, jamais les fleurs. Comme pour l'arrosage, préférez le matin. La plante a toute la journée pour sécher avant de se rafraîchir la nuit. Ne vaporisez jamais en plein soleil. Les fines

gouttelettes sont autant de loupes qui peuvent provoquer des brûlures du feuillage.
L'humidificateur électrique : il est nécessaire en période de chauffage pour maintenir l'humidité de l'air. On en trouve dans les magasins d'électricité ou chez les spécialistes d'articles pour orchidées.
Le bac Meyer pour orchidées : il se compose d'un récipient carré avec une grille, tous deux en plastique (voir page 15). Ce récipient, qui peut contenir plusieurs pots d'orchidées, est empli d'eau, de sorte que les plantes gardent les pieds au sec mais se trouvent sans cesse dans une atmosphère humide à cause de l'évaporation permanente.
Le bac à plantes : (voir page 22) On l'emplit de tourbe ou d'argile expansée, que l'on doit garder humide afin de provoquer une évaporation permanente.
Autres solutions :
• placer des récipients pleins d'eau entre les orchidées ;
• disposer les pots d'orchidées sur des soucoupes retournées, dans des récipients dont le fond est garni de sable, de graviers ou de billes d'argile expansée que l'on maintient humides (voir page 14) ;
• emplir l'espace entre le cache-pot et le pot d'argile expansée ou de tourbe que l'on maintiendra humide. Mais ce n'est possible que si vos orchidées sont en pots de terre ;
• jets d'eau, aquariums, bassins ;
• autres plantes à feuillage important, qui fournissent beaucoup d'eau par évaporation : Aracées, Maranta ou Broméliacées ;
• plantes de marécage, poussant directement dans l'eau *(Cyperus).*

Mon conseil : utilisez de l'eau distillée pour la vaporisation. Vous éviterez les dépôts de calcaire sur les vitres. Il n'est pas nécessaire d'adoucir l'eau des récipients humidificateurs, puisqu'elle n'entre pas en contact direct avec les plantes.

De l'air frais - mais pas de courants d'air

Les orchidées ont besoin d'un renouvellement d'air régulier, surtout leurs racines aériennes. Il empêche la pourriture et le développement des moisissures et des parasites. Voici comment redonner de l'oxygène :
- ouvrez ou entrouvrez la fenêtre (par temps doux seulement) ;
- installez un volet d'aération ;
- ventilateur mécanique du côté intérieur ;
- ventilateur électrique ;
- mettez vos plantes dehors en été.

Mon conseil : si vous aérez en hiver, couvrez les plantes, ou sortez-les de la pièce. Les courants d'air froid sont mortels.

Le parfum des pommes est mauvais pour les orchidées

A l'inverse des broméliacées (telles l'ananas) dont la floraison est stimulée par le parfum des pommes, les orchidées y réagissent en perdant leurs

boutons ou leurs fleurs. Elles ne supportent pas l'éthylène. Ne placez donc jamais votre panier de fruits à proximité des orchidées !

L'arrosage

Les orchidées aiment le contact de l'eau, à condition qu'il soit abondant et de courte durée. Le sol doit sécher rapidement. C'est pourquoi le substrat des orchidées doit absolument être poreux, perméable comme un tamis grossier. C'est l'alternance d'humidité et de sécheresse qui leur réussit, comme la différence de chaleur diurne et de fraîcheur nocturne. L'eau qui stagne les tue à coup sûr.

L'eau d'arrosage
A température ambiante, légèrement acide, et douce. A l'exception de quelques espèces de Sabots de Vénus, toutes les orchidées redoutent le calcaire. L'eau de pluie ou la neige fondue sont douces, mais elles ont perdu leurs qualités du fait de la pollution.

Mon conseil : collectez l'eau de pluie et passez-la au travers d'un filtre à café. Puis laissez-la reposer

une journée. Vous pouvez aussi utiliser les filtres à eau domestique. L'eau de Volvic donne d'excellents résultats si vous n'avez que quelques pots.
Si vous utilisez l'eau du robinet pour arroser, vérifiez son pH (acidité) et sa dureté, ils sont très variables suivant les régions.
Le degré d'acidité : il se mesure avec un papier indicateur de pH (pharmacies ou rayons aquariophiles des animaleries). Il est exprimé en pH, échelonnés de 1 à 14. Le milieu, 7, correspond à une valeur neutre, tout ce qui se trouve en dessous est acide, tout ce qui se trouve au-dessus est alcalin. Les orchidées préfèrent une eau légèrement acide, d'un pH de 5 ou 6.
La dureté de l'eau : vous pouvez la connaître en demandant à l'entreprise qui vous fournit l'eau. Elle est mesurée en degré de dureté (DH) :
0 à 4 : très douce
4 à 8 : douce
8 à 12 : moyennement dure
12 à 18 : assez dure
18 à 30 : très dure.
Les orchidées supportent au maximum une dureté de 10, éventuellement, pour certaines espèces, de 13. Si votre eau est plus dure, il vous faut l'adoucir.
Comment faire ? Si l'eau est moyennement dure ou assez douce, il suffit de quelques gouttes de jus de citron. Si elle est plus dure, il faut utiliser les préparations décalcairisantes et installations d'adoucisseurs que l'on trouve dans les jardineries et certains magasins spécialisés.
- Les produits adoucissants, en tablettes, poudre, ou liquide. Ils éliminent le calcaire et les autres éléments indésirables. Si l'on verse l'eau doucement après un repos de quelques heures, le dépôt de calcaire reste au fond.

L'installation d'un bac à plantes

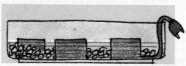

Placez un câble chauffant bien isolé dans un bac à plantes sans trou. Fixez-le avec du gravier. Disposez des pots de terre retournés, calés avec de la tourbe, des graviers, du sable ou de l'argile expansée, puis verser l'eau jusqu'à 1 cm du sommet. Posez alors les pots d'orchidées.

• Avec des engrais ionisateurs ; ils transforment les substances qui durcissent l'eau en substances qui l'adoucissent. Ces produits sont encore rares dans le commerce.

• Avec un arrosoir filtrant, qui contient des échangeurs ioniques et élimine le calcaire et le chlore.

• Avec de la tourbe : emplissez-en un sachet de toile que vous suspendez dans un seau d'eau.

Plonger plutôt qu'arroser
Il n'est pas facile d'arroser les orchidées en suspension. Il vaut mieux leur offrir un bain. Ne suspendez le panier que lorsqu'il est bien égoutté.

• En la faisant bouillir. Cela élimine les cristaux de carbonate, mais aussi une grande partie de l'oxygène.

Mon conseil : quelle que soit la qualité de l'eau du robinet, elle contient du chlore, et les orchidées ne la supportent pas. Laissez reposer l'eau d'arrosage une nuit avant de l'utiliser. L'eau qui a traversé des installations adoucissantes qui fonctionnent avec des sels n'est pas recommandée.

Fréquence des arrosages

Cela dépend de nombreux facteurs.
• Le support, qui peut être plus ou moins perméable.

• Le pot. Les orchidées cultivées en pot de plastique se dessèchent moins vite que celles en pot de terre ou celles en suspension.

• L'humidité ambiante : plus elle est élevée, moins vous devrez arroser.

• La température : plus elle est élevée, plus l'eau s'évapore.

• La circulation de l'air. Le vent, dehors, ou le ventilateur, à l'intérieur, dessèchent votre plante plus rapidement.

• La croissance. Une orchidée en pleine croissance (elle produit de nouvelles pousses) a besoin de plus d'eau qu'une plante qui a terminé son développement et rassemble ses forces pour former ses fleurs. Si on l'arrose trop abondamment, l'orchidée va former des quantités de feuilles à la place des fleurs.

Faites le test du doigt : plongez un doigt profondément dans le sol. S'il reste sec, arrosez abondamment l'orchidée. Puis mettez le pot à égoutter. Ne laissez jamais le support se dessécher complètement, il aurait du mal à absorber l'eau. S'il est encore humide et un peu frais, attendez avant d'arroser.

Comment arroser ?

Il vaut mieux arroser les orchidées par le dessus, de sorte que le sol soit bien détrempé. Mais ne versez pas l'eau d'arrosage directement sur la plante. Les orchidées qui sont accrochées à une branche ou une suspension seront plongées plusieurs fois dans un seau d'eau ou une baignoire (illustration ci-contre).

Mon conseil : toutes les opérations qui concernent l'eau et les orchidées (l'arrosage et la vaporisation) se pratiquent de préférence le matin. La plante a ainsi le temps de s'égoutter avant la fraîcheur du soir. On évite le froid de la condensation autour des racines.

L'arrosage pendant vos vacances

Les divers systèmes d'alimentation en eau en vente sur le marché fonctionnent tous suivant le principe de la capillarité. On plonge dans la terre des "capteurs" (boules, cônes, mèches, disques de feutre, drain). Ils puisent l'eau d'un réservoir auquel ils sont reliés. Plus le réservoir est important, plus on peut laisser la plante. Mais ce système n'est pas sans problème pour les orchidées hypersensibles à l'eau.
Je préfère le système tout simple, mais génial d'Ortmann (ci-dessous).

L'arrosage des vacances

Faites passer, à l'aide d'une aiguille à matelas, une mèche à travers le trou d'évacuation du pot. Elle va traverser le sol à l'intérieur d'une paille en plastique. Vous la guidez horizontalement sur la surface du sol et la recouvrez légèrement. Auparavant, vous aurez sorti du pot les plantes dont la motte est serrée. Ce système fonctionne très bien si votre sol est particulièrement aéré (grossier) dans le fond du pot.

Cet inventeur cultive lui-même des milliers d'orchidées et peut partir tranquillement trois semaines grâce à son système.

Les erreurs d'arrosage

On ne les constate malheureusement pas tout de suite, et souvent trop tard. Vous saurez que vous avez trop arrosé si :
- les feuilles flétrissent, jaunissent, tombent ;
- les racines pourrissent ;
- la croissance s'arrête.

Si vous arrosez trop peu :
- les pseudo-bulbes se racornissent ;
- les racines brunissent et se dessèchent ;
- les feuilles flétrissent, jaunissent et tombent (comme dans le cas d'excès d'eau).

Quelques conseils pour arroser les orchidées dehors en été

Quand la pression reste haute longtemps, les orchidées se dessèchent vite et il faut souvent les arroser tous les jours. Quand il fait mauvais, au contraire, le sol reste trop longtemps humide. S'il pleut plus de 2 jours d'affilée, et si le beau temps ne se profile pas à l'horizon, mettez vos orchidées à l'abri de la pluie. Il est très important de ne jamais déposer le pot de vos orchidées directement sur le sol du jardin ou sur une table, car l'air doit circuler en dessous pour éviter la stagnation d'humidité. Si vous avez de grands bacs, posez-les sur des briques, les pots plus petits tiennent fort bien sur des lattes de bois ou sur une grille.

Fertilisation : fournir les éléments nutritifs

Les orchidées sont des plantes de petit appétit. Comme le pot constitue un environnement au

Lycaste fimbriata *a besoin d'une température modérée à fraîche.*

volume restreint, il faut apporter des éléments nutritifs de l'extérieur, c'est-à-dire une fertilisation. Cela vaut principalement pour les hybrides modernes qui sont élevés pour leur croissance et leur floraison superbes. En outre, de plus en plus d'éléments synthétiques entrent dans la composition des substrats modernes pour orchidées. Ceux-ci n'apportent aucun élément nutritif, à l'inverse des racines ou des écorces qui se décomposaient lentement.

L'engrais pour orchidées

Les orchidées ne présentent pas de comportement différent avec un engrais organique ou minéral. Ce qui compte surtout, c'est le moment où s'effectuent ces apports. Il est plus facile de ne pas se tromper si on utilise des engrais

minéraux, solubles dans l'eau, car leurs principes actifs sont immédiatement absorbés par l'orchidée. En revanche, les engrais organiques requièrent une activité biologique permanente du sol, ils se décomposent lentement et ne sont donc pas aussitôt absorbés par la plante.

Si vous choisissez ce dernier mode de fertilisation, il vous faut connaître parfaitement le rythme de croissance de votre plante, ce qui n'est guère facile avec les orchidées.

Le débutant trouvera dans le commerce (jardineries, spécialistes, vente par correspondance) des engrais standards pour orchidées. Ils ont l'avantage de la facilité d'emploi. Respectez bien les doses prescrites sur l'emballage. Vous pouvez aussi utiliser des engrais

Huntleya meleagris *a les mêmes exigences que les* Phalænopsis.

Mon conseil : les orchidées se nourrissent aussi par les feuilles. Dans ce cas, on vaporise l'engrais sur le feuillage. C'est particulièrement indiqué dans le cas de racines faibles ou malades, et cela ne risque pas de saturer le sol. Attention, tous les produits n'ont pas une action foliaire.

Rempotage : le sol

Les amateurs éclairés ont leurs propres recettes de substrat. Si vous n'avez que quelques plantes, ayez plutôt recours aux supports de culture du commerce, et suivez les recommandations de votre spécialiste pour ce qui concerne chaque espèce. Il connaît ses plantes et saura vous dire quel milieu leur convient au mieux.

Mon conseil : procurez-vous un ou deux sacs de support de culture pour orchidées au moment où vous achetez vos plantes : vous l'aurez ainsi à disposition quand il sera temps de rempoter.

Les qualités essentielles d'un bon sol

Que vous achetiez un support tout prêt ou que vous prépariez votre propre mélange, il doit présenter les propriétés suivantes :
● être perméable à l'air et à l'eau et pouvoir conserver la chaleur ;
● être léger et peu compact, mais avoir cependant de la tenue ;
● bien absorber l'eau, mais s'égoutter rapidement ;
● ne pas se décomposer trop vite, pour que l'orchidée ne reçoive pas trop d'éléments nutritifs.
● être légèrement acide (voir page 22).
Attention ! Ne choisissez pas de terreau pour fleurs ou rempotage : il est tout à fait impropre.

"à fleurs", dont vous devrez cependant diviser par trois à dix les doses indiquées, sous peine de "brûler" les racines. Une dose moyenne de 1 g d'engrais par litre d'eau évite tout problème. Vous pouvez aussi opter pour les engrais à action foliaire. Pulvérisés sur les feuilles, ils ne risquent pas de brûler les racines sensibles aux fortes concentrations en sels minéraux.

Quand et comment fertiliser ?

On ne peut le dire avec précision. La fréquence dépend de la taille, de l'âge et du rythme de croissance de chaque orchidée, et les intervalles peuvent varier d'une espèce à l'autre. Vous trouverez des indications détaillées dans les conseils de culture adaptés à chaque orchidée, à partir de la page 39.

Pour les débutants, voici quelques recommandations :
● de mai à fin août, fertilisez tous les 5 jours, ou une fois tous les trois arrosages ;
● de février à avril, et en septembre-octobre, fertilisez une fois par semaine ;
● en novembre, décembre et janvier, pas d'apport d'engrais.
Les 5 règles d'or de la fertilisation :
● préférez des apports plus fréquents d'engrais très peu concentré plutôt que des engrais concentrés fournis moins souvent ;
● ne fertilisez que durant la période de croissance de la plante, jamais pendant le repos ;
● n'apportez jamais d'engrais sur un support sec ;
● ne fertilisez que des plantes bien enracinées et en bonne santé ;
● ne fertilisez jamais des plantes que vous venez de rempoter.

Tuteurez les plantes à port dressé
Si vos orchidées poussent en hauteur, maintenez-les après rempotage avec un tuteur de bambou. On attache les tiges, sans les serrer, avec du raphia, ou des agrafes de plastique.

De quoi se composent leurs supports de culture ?

Les orchidées peuvent pousser sur des supports organiques, minéraux, ou synthétiques, ou sur un mélange des trois.
Les supports classiques se composaient de racines d'osmonde (fougère royale) et de sphagnum. On en trouve encore dans certains magasins spécialisés, mais plus pour très longtemps, car les conventions sur la protection de la nature et des espèces interdisent leur exportation.
Les supports actuels se composent :
- de tous les produits de la tourbe (tourbe blonde, tourbe brune, tourbe ligneuse) ;
- d'écorces : sequoia, chêne liège, pin, ainsi que des débris de liège ;
- de morceaux de polystyrène (chips, flocons, billes) ;
- de charbon de bois ;
- d'éléments minéraux : argile expansée (pour hydroculture), vermiculite, granulés de mica, pouzzolane, coquillart, dolomite, lave et perlite. On trouve aussi des roches volcaniques riches en minéraux, dont la densité permet de bien maintenir les orchidées qui poussent en hauteur. Bien que leur pH (7,5) soit assez élevé, les orchidées y prospèrent, en particulier *Odontoglossum grande* (voir page 50).

A quoi servent ces divers éléments ?

Les éléments minéraux : ils apportent les sels minéraux et les oligo-éléments.
Les éléments synthétiques : ils préviennent le tassement du support, l'humidité stagnante, le refroidissement et permettent une meilleure aération.
Les éléments naturels et organiques : activent la formation des racines et apportent des éléments nutritifs. Les débris de charbon de bois protègent des infections et de la pourriture. Pour les orchidées terrestres, on ajoute souvent un peu de compost ou de terreau de rempotage pour les éléments nutritifs, et un peu d'argile pour la tenue du support.
Attention ! Les aiguilles de pin ou les feuilles de hêtre, souvent utilisées comme sol pour les orchidées épiphytes, peuvent propager des maladies. Une stérilisation par la chaleur est recommandée.

Quelques mélanges qui ont fait leurs preuves

Quel que soit le mélange que vous utilisez, ajoutez de l'engrais spécial pour orchidées à raison de 2 g par litre de support. On le trouve dans les magasins spécialisés pour la culture des orchidées. Il contient des oligo-éléments très importants pour que votre orchidée reprenne sa végétation. N'utilisez pas d'engrais ordinaire.

Pour les épiphytes en pot
- recette n°1 :
1 partie de débris de liège
1 partie d'écorce de pins
1 partie de flocons de polystyrène
1/2 partie de tourbe
1/2 partie de charbon de bois
2 g de carbonate de chaux par litre de support

Rempotage
et
drainage

Emplissez le pot au tiers de sa hauteur, avec des morceaux de polystyrène, puis ajoutez une poignée du support choisi. Posez la plante en place. Entourez la motte de support, compactez, laissez libre 1 à 2 cm en surface pour l'arrosage. Les orchidées à port rampant, (voir plus haut), doivent être installées de façon que la nouvelle pousse se trouve au centre, les orchidées à port dressé auront leur motte placée au milieu.

- recette n° 2 :
5 parties d'écorces fines de pin
2 parties de tourbe
2 parties de vermiculite
1 partie de charbon de bois
2 g de carbonate de chaux
par litre de support

Pour les orchidées terrestres
2 parties d'écorces de pin
1 partie de tourbe
1 partie de compost bien
décomposé
un peu d'argile

La fixation des orchidées
Mettez un peu du support de plantation devant et derrière les racines, puis fixez la plante sur le bois de façon que l'eau ne puisse pénétrer jusqu'au cœur. Les meilleures attaches sont des lambeaux de bas nylon.

Mon conseil : ne jetez pas les emballages en polystyrène blanc. Mis en pièces, ils serviront pour le sol ou le drainage.

La culture sur polystyrène expansé
Le sol le plus moderne est totalement synthétique. On appelle chips pour orchidées un polystyrène expansé qui possède une surface rugueuse. Vous pouvez l'utiliser comme support unique. *Important :* si vous choisissez ce sol, vous devrez fertiliser tout au long de l'année. Préférez un engrais rapide spécial pour orchidées, et respectez les indications portées sur l'emballage.

Rempotage : dans quel pot ?
Que vous cultiviez vos orchidées en pots ou en corbeilles de bois ne dépend que de vos goûts et de l'emplacement choisi. Sur l'appui de la fenêtre, préférez le pot. Si vous possédez une véranda climatisée, vous pouvez placer vos plantes dans des suspensions ou les attacher sur des écorces ou des branches , qui jouent le rôle de support pour les épiphytes.

Un grand choix de récipients
La plupart des orchidées sont proposées aujourd'hui en pots de plastique. On en trouve aussi, mais rarement, en pots de terre.
Les pots de terre : ils sont perméables à l'air et à l'eau, et plus stables, du fait de leur poids. Mais ils sèchent plus vite et accumulent les engrais qui risquent de brûler les racines de vos orchidées. Les dépôts de calcaire laissent des traces disgracieuses à la longue.
Les pots de plastique : le sol reste humide plus longtemps et ils sont toujours propres. Préférez les récipients aux parois épaisses et de couleur claire ; ils se brisent moins facilement et ne surchauffent pas au soleil.
Les conteneurs et bacs de terre cuite, bois, céramique et plastique : ils sont parfaits pour cultiver les orchidées à grand développement comme les Cymbidium.
Les corbeilles à lattes : elles conviennent bien pour les orchidées à port retombant (voir page 15). Elles ont l'avantage de laisser pénétrer l'air jusqu'aux racines. Mais attention : l'extérieur peut avoir l'air sec tandis que l'intérieur est encore humide. Faites toujours le test du doigt avant d'arroser (page 23).

Ecorces, branches, racines
On accroche l'orchidée dessus, avec son support de plantation (page 28 et illustration ci-dessus). Préférez les écorces de chêne liège, de pin ou de chêne, ou les ceps de vigne.

Mon conseil : il existe, pour les orchidées de petite taille à port rampant, des caissettes spéciales que l'on peut agrandir, ce qui évite le rempotage.

Rempotage : ne pas se tromper
Evitez de changer de pot trop souvent, c'est un traumatisme pour l'orchidée. Mais le rempotage est inévitable si :
- le sol est devenu trop compact et ne laisse plus passer l'air ni l'eau ;
- la plante est trop grande pour son récipient et le renverse ;
- la nouvelle pousse ne trouve pas de place dans le pot et déborde ;
- la plante est malade (maladies, voir page 30).

Fréquence des rempotages
Elle dépend du mode de croissance de l'orchidée, mais aussi du support de plantation. Dans les chips de polystyrène expansé, par exemple, les plantes peuvent rester des années. Les sols naturels on tendance à pourrir et se décomposer avec

le temps ; il faut les renouveler.
Les orchidées sympodiales doivent être rempotées en général tous les 2 ou 3 ans : *Cattleya* (illustration page 8), *Cymbidium*, *Lælia*, *Odontoglossum*, *Oncidium* etc. *Les orchidées monopodiales* peuvent rester 3 ou 4 ans dans le même pot *(Vanda)*. *Paphiopedilum* et *Phalænopsis* (illustration page 8) doivent être rempotés tous les 2 ou 3 ans.

Quand faut-il rempoter ?

Toujours au début d'une nouvelle période de croissance. Vous la reconnaîtrez à l'apparition d'une nouvelle pousse vert clair et de nouvelles racines. Pour beaucoup d'espèces, cela se situe entre février et mai. Certains amateurs préfèrent rempoter après la floraison. D'autres considèrent que - particulièrement pour *Phalænopsis* -, le mois d'août est le meilleur moment.

Mon conseil : n'attendez pas trop longtemps pour donner un nouveau pot à votre orchidée. Quand ses nouvelles pousses ont atteint la taille d'un doigt, elle a plus de mal à s'accoutumer.

Préparation du nouveau pot

Il doit être absolument propre et pas trop grand : un sol trop épais nuit à l'aération des racines. Si vous choisissez un pot de terre, faites-le d'abord tremper toute une journée.
Placez en premier une couche de drainage de 1 à 3 cm d'épaisseur au fond du pot (flocons de polystyrène expansé, billes d'argile expansée, vermiculite, tessons de poterie... illustration page 26).

Comment s'y prendre ?

Avec patience et douceur. Rien n'est pire pour l'orchidée que des racines endommagées.
1re étape : arrosez copieusement la plante la veille du rempotage pour éviter que les racines soient trop rigides.
2e étape : détachez doucement la motte du pot. Si elle adhère, brisez le pot (avec des ciseaux s'il est en plastique, ou un marteau s'il est en terre). Détachez précautionneusement les racines des lattes si votre orchidée est dans une corbeille.
3e étape : secouez légèrement la motte, sans abîmer la plante. Profitez-en pour tailler les parties malades, fanées, ou rabougries, avec un couteau bien aiguisé ou un sécateur. Les plantes trop grandes ou trop âgées peuvent ainsi être divisées, ce qui les rajeunit (multiplication, voir page 36).

Mon conseil : pour éviter les maladies, désinfectez le couteau ou les outils à l'alcool, et la plaie avec de la poudre de charbon de bois.
4e étape : déposez une mince couche du nouveau support de culture sur le lit de drainage du nouveau pot, puis placez la motte et versez du support tout autour. Tapotez régulièrement le pot sur la table pendant cette opération afin qu'il ne reste pas de vide. Vous pouvez aussi tasser un peu avec un bâtonnet de bois. Il faut que les racines soient totalement au contact du sol.
Attention : les orchidées monopodiales *(Paphiopedilum, Phalænopsis)* doivent être placées au milieu du pot. Les orchidées sympodiales *(Cattleya, Dendrobium, Lælia)* doivent être placées de sorte que le bulbe le plus ancien soit tout contre le bord du pot, et la nouvelle pousse au milieu. C'est la condition pour qu'elles poussent sans encombre. Les racines aériennes qui se sont développées vers la terre peuvent être enfouies. Elles serviront à ancrer la plante. Mais on peut aussi les laisser pendre.
5e étape : n'oubliez pas de laisser 1 à 2 cm de rebord en haut du pot, pour l'arrosage.

Après le rempotage

● Placez l'orchidée dans un lieu éclairé, mais pas ensoleillé.
● Vous stimulerez l'enracinement en plaçant un petit matelas chauffant sous le pot.
● A l'inverse de la plupart des plantes d'appartement, on n'arrose pas les orchidées immédiatement après le rempotage. Les racines qui auraient été abîmées guériront mieux dans un support à peine humide.
De plus, si l'humidité est à son minimum, les racines sont contraintes de pousser pour aller la puiser plus loin. Il vaut mieux vaporiser tous les jours pour maintenir l'atmosphère humide (conseils page 21).
● Au bout de 8 à 14 jours, vous pouvez reprendre les arrosages correspondants aux besoins de votre plante.
● Les orchidées fixées sur un support de bois (illustration page 27) doivent aussi être placées à la lumière, sans ensoleillement direct. Contentez-vous de les vaporiser les 2 premières semaines, n'arrosez pas.

Très apprécié en fleur coupée le *Cymbidium* est l'orchidée favorite des fleuristes, en particulier les hybrides verts ou vert-jaunes, comme "Vanguard" (ci-contre).

Erreurs de culture, parasites et maladies

Les orchidées sont à vrai dire plutôt résistantes, mais elles ne sont pas immunisées contre les attaques d'insectes, champignons, virus et bactéries. Par ailleurs, elles sont très sensibles aux erreurs de culture. Des soins réguliers sont donc la meilleure prévention.

Soins préventifs

Une culture conforme aux besoins de l'espèce, une hygiéne suffisante et quelques tours de main sont les meilleures mesures de prévention.
- Quand vous chauffez, veillez à maintenir une atmosphère humide, c'est la meilleure protection contre les insectes.
- Aérez très régulièrement, pour éviter les maladies cryptogamiques.
- Otez les feuilles pourries, fanées et jaunies.
- Changez le support dès que vous constatez à sa surface la présence de champignons (fine couche blanchâtre).
- Mettez en quarantaine les plantes malades pour éviter la contagion.
- Désinfectez greffoir, sécateur et autres instruments à l'alcool (pharmaceutique) avant tout usage.
- Favorisez la cicatrisation des blessures et les coupures avec de la poudre de charbon de bois.
- Si vous réutilisez des récipients, lavez-les à fond à l'eau savonneuse, puis rincez abondamment, la première eau étant additionnée d'eau de javel.

Traitements possibles

Soins chimiques : on peut vaporiser ou arroser avec des insecticides (insectes) ou des fongicides (champignons).
Soins mécaniques : ôtez les parties atteintes et les animaux nuisibles visibles.
Soins biologiques : en utilisant les ennemis naturels : araignées et autres insectes utiles (voir page 34).
Autres solutions : infusions de plantes, sac de plastique, aérosols contenant des huiles volatiles (voir suggestions et recettes page 34).

Mon conseil : suivez bien les conseils du fabricant quand vous utilisez un produit pour les plantes. Les orchidées sont très sensibles aux doses excessives. Si vous utilisez un aérosol, mettez-vous à bonne distance pour que le gaz de propulsion ne "gèle" pas la plante. Préférez les aérosols sans gaz propulseur, qui préservent la couche d'ozone, bien qu'aujourd'hui le gaz utilisé le plus souvent soit du CO_2 qui n'est pas aussi redoutable que les Fréons.

Erreurs de culture

Elles sont responsables de la plupart des troubles physiologiques.

Croissance insuffisante ou arrêtée
Causes : sol collant, malodorant ou contenant des algues, racines pourries, emplacement trop sombre, fertilisation insuffisante.
Traitement : dépotez les plantes, coupez les racines malades, désinfectez, rempotez dans un sol neuf.

Brûlures de soleil
Symptômes : taches à la surface des feuilles, d'abord blanc-jaunâtre, puis brunes.
Causes : plante placée trop près de la fenêtre, exposition au plein soleil pour des orchidées qui ne le supportent pas, ombrage insuffisant, vaporisation en plein soleil.
Traitement : protégez du soleil direct.

Coup de chaleur
Symptômes : taches sur et sous les feuilles, irrégulières mais bien marquées, de couleur jaunâtre, déprimées, qui vont devenir brunes et sèches.
Causes : effondrement des tissus sous l'effet de la chaleur qui s'attaque au système radiculaire, ou exposition trop sèche.
Traitement : choisir un emplacement plus frais, plus humide, et légèrement ombragé.

Taches brunes sur les feuilles flétries
(illustration page 32)
Causes : erreurs de culture.
Traitement : ôtez les feuilles mortes, poudrez le point d'insertion avec du charbon de bois.

Croissance en accordéon
Symptômes : les feuilles ne se déplient pas.

Leurs couleurs et leurs motifs donnent aux fleurs d'hybrides d'Odontoglossum un aspect exotique.

Causes : racines endommagées par l'eau qui stagne. Fréquent si vous pratiquez l'hydroculture.
Traitement : coupez les racines endommagées, désinfectez à la poudre de charbon de bois, rempotez dans un nouveau sol.

Pointes des feuilles brunes et sèches

(illustration page 32).
Causes : air trop sec, saturation du support par excès d'engrais ou eau trop calcaire, humidité stagnante.
Traitement : augmentez l'humidité

atmosphérique, rincez le support à l'eau courante. Suspendez provisoirement les apports d'engrais. Au printemps, rempotez les plantes.

Feuilles vert clair ou marbrées

Causes : carences en magnésium ou en fer. Fréquent chez *Cymbidium*, *Zygopetalum* et *Paphiopedilum*.
Traitement : préparations combinant magnésium et fer, à ajouter à l'eau d'arrosage (dans les jardineries).

Bourgeons rouges, flasques, chute des boutons floraux

Causes : éclairement insuffisant, froid au niveau des racines, nutrition insuffisante, mauvais état des racines. C'est parfois une caractéristique de l'espèce. Ces symptômes sont courants en décembre-janvier. Fréquent chez *Phalænopsis* en hydroculture lorsque des débris d'humus sont restés accrochés aux racines au moment du transfert. Air chargé d'éthylène par la proximité de fruits.
Traitement : dans le cas

d'hydroculture, soignez les racines. Sinon, cure de lumière sous éclairage spécialisé (voir page 19).

Floraison paresseuse

Causes : non respect de la période de repos, erreur dans l'abaissement des températures nocturnes, exposition trop chaude, engrais trop riche en azote. Fréquent chez les espèces de *Paphiopedilum* qui ont besoin d'une température fraîche pour former leurs fleurs.
Traitement : le temps perdu ne se rattrape pas ; l'année prochaine, veillez à respecter les exigences de votre plante pour la formation des fleurs (page 17, page 39 et sqq.).

Parasites

Il s'agit d'insectes qui piquent et sucent la sève, de leurs larves ainsi que des acariens qui se nourrissent de la sève, des feuilles ou des racines. Ils sont capables d'affaiblir une orchidée au point d'entraîner sa mort rapide.

Pucerons

(illustration ci-contre)
Ils ne s'attaquent qu'aux jeunes pousses tendres. Verts, mesurant

Erreurs de culture
Taches et pointes brunes.

2 à 3 mm, on les trouve en colonies nombreuses au bout des tiges ou sur les bourgeons. Il existe aussi des pucerons des racines.
Symptômes : feuilles collantes, pousses déformées.

Causes : courants d'air, fenêtre ouverte, air trop sec (chauffage).
Traitement : essuyez à la main, puis vaporisez un aérosol pour les plantes. Renouvelez le traitement après 8 à 10 jours. Dans le cas d'hydroculture, utilisez les traitements appropriés.

Parasites
A gauche : pucerons ;
à droite : cochenilles.

En serre, véranda, vitrine, essayez les insectes prédateurs *(cécidomies, chrysopes)*.

Cochenilles à carapace

(illustration ci-dessus)
Les cochenilles se cachent avec leurs œufs sous une couche cireuse blanc-jaunâtre ou brune et on les aperçoit souvent trop tard. Les larves sont minuscules et agiles, on les voit rarement. Les orchidées les plus menacées sont *Cattleya, Cymbidium, Dendrobium* et *Phalænopsis* ; les insectes s'installent sur les feuilles et les pseudo-bulbes.
Symptômes : formation de miellat et de suie (fumagine), taches jaunes sur les feuilles, chute des feuilles.
Causes : air desséché.
Traitement : augmentez l'humidité atmosphérique. Grattez les carapaces avec l'ongle ou un bâtonnet. Essuyez les plantes avec un chiffon imbibé d'eau savonneuse ou d'eau alcoolisée. Si cela ne suffit pas, utilisez les produits du commerce.

Attention : ces produits ne sont supportés que par les orchidées à feuillage dur *(Dendrobium kingianum)*.

Cochenilles des serres

(illustration page 33)
Elles appartiennent au même ordre que les cochenilles à carapace. Leurs préférences vont à l'aisselle des feuilles, au-dessous des feuilles et aux bulbes.
Symptômes : sécrétions cireuses qui ressemblent à de la laine blanche ou à des boules de coton hydrophile, croissance ralentie.
Causes : air sec.
Traitement : passez un pinceau imbibé d'alcool sur les endroits attaqués, augmentez l'humidité de l'air, éventuellement, aérosols pour plantes.

Acariens (araignées rouges)

(illustration page 33)
Ces insectes sont la terreur des amateurs d'orchidées qui possèdent une serre. Ils sont très fréquents et attaquent particulièrement *Cymbidium*, *Dendrobium*, *Paphiopedilum* et *Phalænopsis*.
Symptômes : feuilles piquetées d'argent, qui jaunissent.
Causes : air trop sec.
Traitement : veillez à ce que l'air soit très humide, utilisez l'effet du sac en plastique (voir page 34). Douchez 2 fois par semaine les plantes à l'eau tiède. Vaporisez avec un aérosol qui contient un acaricide *(dicofol)*. En serre ou en véranda, utilisez les insectes prédateurs quand c'est possible (voir page 34).

Thrips

Insecte brun foncé, mesurant 1 à 2 mm, qui possède sur le dos deux paires d'ailes noires et blanches accolées. La larve, à peine visible, se tient sous les feuilles.
Le thrips suce la sève des feuilles, des bourgeons floraux ou des fleurs.

Symptômes : fleurs tachées de brun, rabougries, boutons malformés. Feuilles à l'aspect argenté, à cause de l'air qui circule dans les trous provoqués par les piqûres minuscules et très serrés. Sous les feuilles, traces de piqûres brunes, souvent déjections noires et brillantes.

Causes : air trop sec (chauffage).

Traitement : vaporisez avec un aérosol pour les plantes, sans oublier le dessous des feuilles. Veillez à augmenter l'humidité atmosphérique.

Cantharide et mite de l'orchidée

Les cantharides attaquent rarement l'orchidée, sauf *Paphiopedilum*. Elles sucent les bourgeons et les pousses tendres. Les mites de l'orchidée attaquent les plantes faibles et maladives et rongent les racines de l'extérieur.

Parasites
A gauche : cochenilles des serres ; à droite : acariens (araignées rouges).

Symptômes : bourgeons, pousses et tiges florales rabougris, racines rongées.

Traitement : arroser avec un acaricide.

Moucherons

Ils mesurent 4 à 7 mm, et s'envolent dès qu'on bouge le pot. Les larves aiment la terre riche en tourbe et en humus, et s'attaquent aux racines si elles ne trouvent rien d'autre.

Symptômes : dégâts sur les racines, plantes maladives.

Causes : contagion par les plantes d'appartement. L'infestation vient de l'extérieur.

Traitement : insecticides en plaquettes à suspendre ou bâtonnets insecticides dans la terre du pot.

Collemboles

Petits animaux blancs, longs de 1 à 3 mm, sauteurs, ressemblant à des asticots. Utiles au jardin, où ils aident à la décomposition des plantes mortes. Mais dans un pot, ils s'attaquent volontiers à la tourbe, et, quand ils l'ont digérée, aux racines.

Symptômes : racines rongées, croissance ralentie.

Causes : arrosage trop abondant en saison peu éclairée.

Traitement : rincez le matin le sol plusieurs fois à l'eau tiède. Arrosage avec une solution de diméthoate (insecticide antipucerons).

Escargots

On trouve souvent des escargots de nuit dans les serres. Ils sont attirés par la chaleur humide. Leur voracité est source de bien des dégâts.

Symptômes : parties rongées, trous dans les feuilles et les bulbes, traces gluantes.

Causes : introduits par les orchidées qui passent l'été en plein air.

Traitement : ramassage, le matin ou le soir. Granulés contre les limaces.

Maladies cryptogamiques

Les champignons sont des parasites qui s'attaquent le plus souvent à des plantes fragiles : l'orchidée, affaiblie par un air trop sec, un éclairement insuffisant, ou d'autres causes est plus sensible. Les champignons parasites s'installent également sur les piqûres d'insectes. Les orchidées sont sensibles à la rouille, aux moisissures et à la fusariose.
Une aération insuffisante favorise la propagation de ces affections.

Fusariose

Le fusarium est présent partout et se propage rapidement avec la poussière. L'attaque commence par le sol et se déroule à la surface du sol.

Maladies
A gauche : taches sur le feuillage par infection à virus ; à droite : pourriture noire.

Symptômes : taches sur le feuillage, végétation ralentie, pourriture. Se produit principalement chez *Miltonia*, *Odontoglossum* et *Zygopetalum*.

Causes : pied trop froid ou trop humide, fertilisation trop riche en azote. Mauvaise aération.

Traitement : ôtez les parties malades. Désinfectez la plaie de coupe avec de la poudre de charbon de bois. Trempez toute la plante (avec les racines) dans un fongicide, ou vaporisez-la, et rempotez dans un nouveau sol. Les plantes qui ont subi une attaque vigoureuse ont peu de chances de guérir. On peut aussi vaporiser toute la plante avec une infusion d'ail, qui est fongicide. (voir la recette page 34).

Cercospora

C'est un champignon qui attaque particulièrement les *Dendrobium*.

Symptômes : taches sur le feuillage.

Causes : affaiblissement de la plante du fait d'erreurs de culture.

Traitement : comme pour la fusariose.

Rouille de l'orchidée

Elle est rare, mais se produit parfois chez les plantes importées. Elle menace particulièrement *Cattleya*, *Epidendrum*, *Lælia* et *Oncidium*.
Symptômes : dépôt de spores jaunâtres à rousses sur les feuilles.
Causes : humidité atmosphérique trop élevée, infection contractée dans le pays d'origine.
Traitement : isolez l'orchidée, ôtez les parties atteintes. Plongez toute la plante dans un fongicide et changez le sol.

Botrytis

Ce champignon, qui s'attaque aussi aux fraisiers du jardin, fait pourrir les fleurs.
Symptômes : fleurs tachées.
Causes : fertilisation trop azotée, courants d'air, feuilles restées humides, contagion par les plantes d'appartement.
Traitement : ôtez les parties atteintes et désinfectez la coupe à la poudre de charbon de bois. Vaporisez un fongicide.

Pourriture noire (black-rot)
(illustration page 33)

Elle est causée, entre autres, par le pythium. *Cattleya*, *Læliocattleya* et *Lælia* sont menacés. Mais ce sont surtout les jeunes plants qui peuvent fondre en une seule nuit.
Symptômes : blessures suppurantes au bord des feuilles et sur les jeunes pousses (pourriture molle), taches rougeâtres sur les feuilles, collet devenant noirâtre, pourriture sur les bulbes.
Causes : air trop humide, eau stagnante, température trop basse.
Traitement : ôtez immédiatement les parties malades et désinfectez la plaie de coupe à la poudre de charbon de bois. Plongez toute la plante dans un fongicide et rempotez dans un nouveau support.

Bactéries

On ne peut les voir à l'œil nu, et on s'aperçoit souvent trop tard de leur présence. Fort heureusement, elles sont rares.
Symptômes : traces gluantes, ou humides sur les feuilles et les bulbes. Tissu jaune et vitreux.
Causes : infection transmise par l'eau, le vent, le sol ou d'autres plantes.
Traitement : peu efficace. Si l'attaque est peu importante, on peut isoler la plante, ôter les feuilles malades et arroser souvent avec une infusion d'ail (recette ci-contre) ou vaporiser avec un aérosol contenant des huiles volatiles.

Mon conseil : si vos orchidées sont rares et précieuses, demandez conseil au service de protection des végétaux de votre préfecture.

Virus

Terreur des éleveurs d'orchidée. Les plus menacées sont *Cymbidium* et *Phalænopsis*. Mais les infections à virus sont heureusement rares.
Symptômes : fleurs rabougries et décolorées, petites taches ou traits noirs et bruns (illustration page 33) sur les feuilles.
Causes : infection par manque d'hygiène et d'aération, ou transmise par les insectes.
Traitement : isolez aussitôt les plantes atteintes et attendez quelques jours : les fleurs mal formées ou les feuilles tachées n'indiquent pas nécessairement une infection virale. Mais si le mal se propage rapidement, jetez la plante.

Insectes utiles

Ils peuvent aider à combattre les insectes nuisibles :
• araignées prédatrices contre les acariens ;
• syrphes et cynips contre les pucerons ;
• ichneumons contre la mouche blanche.
C'est particulièrement efficace en serre, en véranda ou en vitrine. Actuellement, la lutte avec des insectes prédateurs est du domaine professionnel et de la recherche.

Traitements alternatifs

Infusions d'ail contre les champignons et les bactéries

Pressez une gousse d'ail et faites-la bouillir dans 1 l d'eau. Laissez refroidir et vaporisez les plantes avec cette solution, une fois par semaine à titre préventif ; arrosez-les si elles sont déjà malades. L'ail contient des composés sulfurés fongicides et bactéricides qui sont encore actifs à dissolution d'1/million.

L'effet du sac de plastique

Le moyen le plus sûr et le meilleur marché pour se débarrasser des acariens : le sauna. Arrosez abondamment les plantes atteintes, sans laisser stagner d'eau. Placez le pot dans un grand sac de plastique transparent que vous fermerez. Laissez-y les plantes 1 à 2 jours. Pour *Vanda* ou *Cymbidium*, qui sont de grande taille, prenez des housses à vêtement.

Si les problèmes persistent

Si vous n'êtes pas sûr de votre diagnostic, prenez conseil auprès du service de protection des végétaux de votre région, ou de votre spécialiste en orchidées.

Vivre avec des orchidées
Elles sont particulièrement mises en valeur sur une table en verre. Combinaison d'hybrides de Phalænopsis, Paphiopedilum et Ascocenda.

Comment multiplier vos orchidées

Le plus simple, c'est la multiplication végétative, à partir de parties d'une plante : les jeunes pousses seront parfaitement identiques à la mère. Plus compliqué : la multiplication sexuée, à partir de semences, excitante et imprévue, puisque soumise aux lois de l'hérédité. On ne peut savoir à quoi ressembleront les plantes qui en sont issues. Mais même les débutants peuvent connaître des réussites.

Multiplication végétative

On sépare du pied-mère des parties, enracinées ou non, de plus ou moins grande taille, et on les élève en pots ou en tube à essai. Comme il n'y a pas eu fécondation, le matériel génétique reste inchangé et les nouvelles plantes sont parfaitement identiques au pied-mère. Il y a plusieurs méthodes de multiplication végétative pour les orchidées :
- par éclat de touffe (illustration page 37) ;
- par prélèvement de plantules (illustration page 38), stolons ou bulbes (illustration page 37) ;
- par enracinement de boutures de tige ou de tête (illustrations pages 37/38) ;
- par méristème : on prélève un fragment microscopique de bourgeon et on le dépose dans un tube à essai contenant une solution stérile et nutritive. Le tube est agité en permanence et il se forme un amas tissulaire qui va être à son tour divisé en un certain nombre de parties dont la culture se poursuivra en tube à essai contenant une solution nutritive. On peut ainsi créer des centaines de plantes identiques que l'on appelle clones. Cette technique est cependant inapplicable chez soi car elle requiert un laboratoire. Mais je vous conseille d'acheter des orchidées reproduites de cette façon car elles sont moins sensibles aux maladies, en particulier les bactéries et les virus.

Quand l'orchidée peut-elle être multipliée ?
On ne peut reproduire des plantes trop jeunes, en pleine floraison, ou que l'on vient d'acheter. En revanche, multipliez sans crainte :
- des plantes d'1 an, grandes, vigoureuses et saines ;
- les orchidées qui fleurissent difficilement ou qui ont vieilli (souvent des hybrides de plusieurs genres, comme *Brassolæliocattleya*) ;
- de jeunes plantules qui se sont formées et enracinées d'elles-mêmes à la base d'un pied-mère, et que l'on appelle drageons (illustration page 38) ;
- des plantes dont les bulbes débordent et risquent de se casser ;
- des orchidées qui se divisent d'elles-mêmes au moment du rempotage.

La bonne époque
On ne peut multiplier les orchidées à n'importe quel moment. La meilleure époque se situe au printemps, au moment du rempotage, ou juste après la floraison : les jeunes plantes s'enracinent mieux dans les mois chauds et lumineux.

L'hygiène de A à Z
La multiplication est toujours traumatisante, ce qui rend l'orchidée plus sensible aux maladies, dont l'hygiène est la meilleure prévention.
- Avant et après la coupure, désinfectez le couteau ou le sécateur à l'alcool (rempotage, page 28).
- Poudrez toutes les coupures et blessures au charbon de bois.
- On peut aussi traiter préventivement les plaies de coupes plus importantes avec un fongicide.
- Laissez toujours les coupes sécher quelques heures avant de rempoter la nouvelle plante.

Méthodes de multiplication végétative

Vous choisirez la méthode en fonction du mode de végétation de votre orchidée (monopodiale ou sympodiale, voir page 6). Voici quelques exemples :

Multiplication par éclat de touffe des orchidées monopodiales
Exemple : *Paphiopedilum* (illustration page 37).
La plante se divise d'elle-même quand on la débarrasse de

l'ancien sol au moment du rempotage.
Attention : ne divisez que les plantes qui ont au moins 6 tiges vigoureuses, et soyez attentif à éviter les blessures, qui empêchent la plante de pousser normalement.

Multiplication par éclat de touffe
Les orchidées monopodiales se divisent spontanément au moment du rempotage, quand on les débarrasse de l'ancien sol. On rempote alors chaque plante séparément.

Les orchidées sympodiales sont divisées, de sorte que chaque nouveau pied possède 3 à 5 bulbes. Les autres parties se régénèrent si elles portent des feuilles, les bulbes, seulement s'ils sont verts et bien gonflés.

Multiplication par éclat de touffe d'orchidées sympodiales
Exemple : *Cattleya* (illustration ci-dessus).
Ne divisez que si la nouvelle plante possède au moins trois bulbes feuillus. Si votre orchidée à six bulbes, vous pouvez la séparer en 2 plantes. Chez le *Cymbidium*, il est aussi possible de séparer des bulbes sans feuilles s'ils sont gonflés.

Multiplication par enracinement des plantules
Exemple : *Phalænopsis* (illustration page 38).
On prélève les pousses qui se forment sur les tiges florales - certains disent à la suite d'erreurs de culture-. On les détache avec un petit morceau de tige du pied-mère, dès qu'elles possèdent des racines autonomes et on les fixe avec un arceau de fil de fer à la surface du sol.

Mon conseil : on trouve dans le commerce une poudre d'hormones qui stimule la formation de ces pousses adventives sur les tiges florales. Badigeonnez-en le pourtour d'un œil de la tige.

Multiplication par bouturage d'orchidées monopodiales
Exemple : *Vanda* (illustration ci-dessous).

Multiplication par bouturage

On peut multiplier les orchidées qui ont poussé en hauteur, en faisant des boutures de tête. Pour cela, on détache la partie supérieure de la tige principale juste, en dessous des racines aériennes, et on la replante dans un mélange grossier d'écorces bien perméable à l'air.
Important : le pied-mère doit mesurer au moins 20 cm après la coupe, sinon il aura du mal à s'en remettre.

Mon conseil : *Vanda* et *Dendrobium* se multiplient aussi par pousses adventives qui se forment au bout d'une tige défleurie. On détache la pousse adventive environ 2 cm au dessous de ses racines aériennes et on la replante dans un support chaud et très perméable à l'air.
Important : il ne faut pas que les racines aériennes soient trop courtes.

Multiplication par bouturage d'orchidées sympodiales
Exemple : *Dendrobium* (illustration page 38).
On peut faire des boutures à partir des "cannes". Chaque bouture doit mesurer 10 à 15 cm de long et posséder 4 à 5 subdivisions.

Les espèces ayant une seule tige comme Aërides, Angræcum, Renanthera et Vanda peuvent être divisées si elles sont assez âgées, vigoureuses, bien feuillues et possèdent de nombreuses racines aériennes. Coupez à 20 cm, juste au-dessous des racines aériennes et rempotez la tête. L'ancien pied formera de nouvelles pousses au bout de quelques mois. L'opération est déconseillée avec Phalænopsis.

*Multiplication
par
enracinement
de plantules*

Phalœnopsis porte souvent sur les tiges florales de petites plantes qui sont faciles à multiplier. On les détache avec un morceau de tige et on les fixe à la surface du sol, que l'on maintient chaud et humide. Elles vont alors se développer rapidement. Vanda et Dendrobium forment aussi des pousses adventives.

On place les boutures couchées dans un mélange de sphagnum et de polystyrène expansé que l'on maintiendra chaud et humide.

Mise en pot et culture des nouvelles plantes

Choisissez des pots de petite taille, et un sol composé pour moitié de polystyrène expansé, pour que l'air stimule la formation des racines. L'idéal est un mélange pour moitié d'osmonde ou de sphagnum avec du polystyrène expansé (voir page 26). Les plantes qui se trouvaient déjà en terre (par exemple les bulbes qui ont été divisés) ne doivent pas être enfouis plus profondément qu'ils ne l'étaient. Les boutures d'orchidées sympodiales seront placées à l'horizontale. La chaleur du support et l'humidité de l'air stimulent considérablement la formation de nouvelles racines et pousses. Placez les pots ou récipients dans un sac de plastique transparent que vous fermerez. L'humidité du support sera suffisante, vous n'aurez pas besoin d'arroser. L'idéal est de placer les pots sur un matelas chauffant. Ou, encore mieux, de placer le sac plastique dans un bac de multiplication que l'on peut chauffer.

Emplir préalablement de tourbe humidifiée. Tenir le couvercle fermé jusqu'à la formation de nouvelles pousses. S'il se forme une buée de condensation, aérez de temps en temps. Dès que vous apercevez de nouvelles pousses vert tendre, ôtez le sac plastique ou le couvercle et continuez la culture selon le mode approprié à chaque espèce (voir page 39 et sq.).

Remarque : il vous faudra de la patience pour voir apparaître les nouvelles fleurs. La maturité varie d'un genre à l'autre, mais il faut

compter de 2 à 5 ans. La plante doit d'abord former ses feuilles. Elle sera cultivée exactement comme le pied-mère.

La multiplication sexuée

La multiplication des orchidées à partir de semis est longue et difficile, mais aussi excitante qu'une loterie. On ne sait si on a gagné que lorsque les plantes fleurissent pour la première fois.

La pollinisation

C'est à ce stade que se mêlent les patrimoines génétiques.
Quels croisements sont possibles ?
On peut féconder mutuellement :
- deux plantes d'une même espèce ;
- deux espèces d'un même genre ;
- des espèces de genres différents ;
- des hybrides d'un genre avec des hybrides d'un autre genre ;
- des hybrides avec des espèces pures.
Ce qu'il vous faut :
Un bâtonnet de bois, pointu, ou une petite pince et deux fleurs d'orchidée bien épanouies.
Comment faire ?
- On prélève avec le bâtonnet ou la pince, les pollinies d'une fleur. Ce sont les gamètes mâles, le plus

*Multiplication
par bouturage*

Plusieurs orchidées sympodiales comme Dendrobium se multiplient aussi par boutures. On prélève une tige vigoureuse et on la tronçonne en morceaux de 10 à 15 cm qui portent au moins trois nœuds. Couchez-les sur un récipient empli de sphagnum humide, que l'on maintient chaud. On peut recouvrir le récipient d'une feuille de plastique pour conserver l'humidité ambiante.

souvent cachées sous un capuchon qu'il faut soulever.
- On dépose les pollinies qui restent accrochées au bâtonnet sur le stigmate (partie femelle) de l'autre fleur. Cette partie est souvent un peu gluante pour que les pollinies adhérent mieux (illustration page 9).
- Après la fécondation, mettez une étiquette avec le nom des parents et la date de la pollinisation.
- Au bout de quelques jours, parfois de quelques heures, la fleur fécondée fane brusquement.
- L'ovaire s'enfle et produit ensuite un fruit en forme de capsule. Il devra mûrir, ce qui prend plus ou moins de temps selon l'espèce. Par exemple :
Cattleya : 10 à 12 mois.
Cymbidium : 11 à 14 mois.
Odontoglossum : 7 à 10 mois.
Paphiopedilum : 8 à 10 mois.
Phalænopsis : 4 à 10 mois.
Vanda : 15 à 20 mois.
- Les graines sont mûres quand la capsule brunit sur le dessus ou devient totalement décolorée. Il est temps de la couper.

Le semis - la partie la plus difficile

Si vous voulez vous y risquer, il va vous falloir un véritable laboratoire. Les débutants feront mieux de faire parvenir leurs graines à un laboratoire de semis, où leurs semences recevront les meilleurs soins. Si les graines étaient prêtes à germer, vous recevrez en retour de jeunes plantules en terrine, prêtes à repiquer. Vous pouvez alors les faire pousser en serre ou en intérieur en veillant aux conditions d'humidité et de chaleur.

Remarque : de la pollinisation à la floraison, il s'écoule, suivant l'espèce, de 3 à 6 ans. Alors seulement vient l'heure de vérité où vous découvrirez les résultats de votre travail...

Les orchidées les plus répandues : conseils de culture

Vous trouverez dans les pages qui suivent un choix des plus belles orchidées avec leur description, un programme de culture sur mesure, les variétés recommandées et de nombreux conseils pratiques.

Toutes les orchidées mentionnées peuvent être cultivées à la maison et sont faciles à trouver dans le commerce. Elles figurent dans les catalogues spécialisés. Elles ont été recommandées par des spécialistes pour la culture dans nos intérieurs.

Explication des dénominations

Dans cet ouvrage, vous trouverez toujours en premier le nom du genre botanique, par exemple *Cattleya*, puis le nom populaire, s'il existe. La première description concerne le genre, avec des indications sur l'aspect, le rythme de croissance, et les particularités de la plante. Vous trouverez ensuite des indications précises pour la culture.

Origine : elle détermine le mode de culture. Une orchidée originaire des Caraïbes au climat tropical n'a pas les mêmes exigences de température, d'éclairement, d'humidité atmosphérique et d'arrosage qu'une plante issue des montagnes andines fraîches et humides.

Zone de température : fraîche, tempérée ou chaude. Cette division est fonction du pays d'origine de chaque plante. Ce sont des indications approximatives. Certains genres prospèrent dans une seule zone de température, d'autres dans plusieurs.

Epoque de floraison : c'est la période où un genre, une espèce ou un hybride fleurit généralement. La durée de la floraison, ou l'éventuelle refloraison ne sont pas indiquées. Toutes ces précisions ne sont que des points de repère, la période de floraison dépend aussi de la culture et de l'exposition. Pour certains hybrides, les possibilités d'écart sont si grandes qu'il n'a pas été possible d'indiquer une période de floraison précise.

Coloris : sont mentionnées toutes les couleurs qui peuvent apparaître dans un genre donné.

Exposition : vous trouverez des indications sur les besoins en éclairement de chaque orchidée. Ils varient suivant son origine.

Température : vous trouverez des indications sur les températures optimales, estivales et hivernales, diurnes et nocturnes.

Eau : toutes les indications nécessaires sur l'arrosage, la vaporisation et l'humidité atmosphérique.

Engrais : quelle dose d'engrais faut-il donner, et à quel rythme.

Rempotage : à quel moment et à quelle fréquence vous devez rempoter.

Sol : les débutants ont avantage à se procurer un sol tout prêt pour la culture des orchidées. En général, on se reportera au chapitre correspondant dans la partie "culture" (page 25).

Multiplication : vous trouverez indiquée la méthode la plus efficace pour chaque espèce.

Parasites, maladies : mention est faite des symptômes particuliers à chaque espèce. Vous trouverez des indications plus détaillées dans le chapitre "culture" (page 30).Les particularités qui affectent certaines orchidées sont indiquées.

Mon conseil : les conseils de l'auteur sont tirés de sa propre expérience ou ont été appris en dialoguant avec des spécialistes. Elle a pu en vérifier l'efficacité.

Un plus : la liste classée par époque de floraison.
Les espèces et hybrides présentés ont été choisis en fonction de leur beauté et de la facilité de leur culture, dans le kaléidoscope des orchidées connues au niveau international.

Pour faciliter votre choix, la liste des espèces et hybrides de chaque genre a été classée en fonction de la période de floraison. Si vous savez vous servir de ces indications, vous pourrez avoir des orchidées en fleurs tout au long de l'année.

Idéale en suspension
Coelogyne cristata - un rêve en blanc, facile à cultiver (voir page 47).

Cattleya bicolor, pittoresque avec ses deux couleurs.

Particulièrement florifère : Cattleya bowringiana.

Cattleya

Les fleurs de **Cattleya** sont très grandes, de couleurs somptueuses, et possèdent un labelle magnifique. Il en existe 40 à 60 espèces, ainsi que de nombreuses variétés et hybrides superbes. Leur très grande capacité d'adaptation et de croisement en fait l'orchidée préférée des hybrideurs, des horticulteurs et des fleuristes.

Dans leur pays d'origine, les *Cattleya* poussent en épiphytes sur les branches et les troncs d'arbres. On distingue deux formes de végétation : l'une possède des bulbes étroits et aplatis, avec une feuille,

l'autre, des bulbes en forme de massue, souvent ligneux, avec deux feuilles. Ce sont les *Cattleya* brésiliens typiques. La formation des boutons floraux est remarquable : à l'aisselle des bulbes se forme une spathe (bractée) d'où surgit le bouton floral. Dans le commerce, on trouve des espèces, des hybrides interspécifiques ou intergénériques (voir page 10) tels que *Brassocattleya*, *Brassolæliocattleya*, *Epicattleya*, *Potinara* (voir page 11), *Sophrolæliocattleya*.

Origine : Amérique centrale et du Sud, Caraïbes.

Zone de température : tempérée. Chaude pour les espèces telles que *Cattleya dowiana*, *Cattleya schilleriana* et quelques-uns de leurs hybrides.

Epoque de floraison : varie selon l'espèce et la variété (voir page 43).

Coloris : blanc pur, rose, violet, rouge, jaune clair à foncé.

Exposition : très claire toute l'année, sans ensoleillement direct. L'idéal : une fenêtre à l'est ou à l'ouest.

Température : en été, et durant la période de végétation, chaude (jusqu'à 25 °C). Assurer une bonne ventilation. Important : n'oubliez pas

de baisser de quelques degrés pendant la nuit. Certaines espèces et leurs hybrides supportent même une température plus élevée. En hiver, la plupart des espèces et hybrides se contente de 18 °C le jour, 14 °C la nuit, sauf les espèces mentionnées plus haut, qui ont besoin de plus de chaleur.

Eau : en été, arrosez suivant les besoins ; en hiver, juste assez pour éviter le dessèchement des racines et des bulbes. Vaporisez fréquemment le feuillage de mai à octobre (humidité atmosphérique).

Engrais : tous les trois arrosages en été, pas du tout en hiver.

x Lӕliocattleya Milbelle *possède la fleur délicate du Lӕlia mais les exigences de culture de* Cattleya.

Rempotage : tous les 2 ou 3 ans. Pour les espèces qui fleurissent au printemps et en été, après la floraison ; pour les espèces qui fleurissent en automne et au printemps.
Sol : voir page 25.
Multiplication : par division des bulbes (voir page 37).
Parasites, maladies : rares puisque les pseudo-bulbes sont fibreux et les feuilles coriaces. Les pires ennemis sont les cochenilles (voir page 32). Mais surveillez aussi les fourmis qui sont attirées par les sécrétions sucrées de la spathe et ouvrent la voie aux pucerons.
Particularités : la coloration brune des

bractées est particulière à l'espèce, de même que les bulbes lignifiés pour se protéger du soleil.

Mon conseil : pour que votre *Cattleya* refleurisse chaque année, vous devez le mettre au frais et réduire les apports d'eau dès la fin de la croissance. Ce repos évite une croissance excessive du feuillage au détriment de la floraison. Vous pouvez aider l'épanouissement des fleurs : ouvrez la bractée avec précautions à l'aide de ciseaux fins pour que le bouton floral puisse sortir. Pour éviter de le bloquer, tenez le bourgeon devant une source de

lumière, vous gagnerez en précision.

Les espèces de Cattleya
Fleurs de printemps :
C. amethystoglossa, C. guttata, C. intermedia, C. mossiӕ, C. skinneri.
Fleurs d'été :
C. aurantiaca, C. dowiana, C. forbesii, C. gaskelliana, C. harrisoniana, C. intermedia, C. mendelii, C. schilleriana.
Fleurs d'automne :
C. bicolor, C. bowringiana, C. labiata, C. loddigesii.
Fleurs d'hiver : *C. bicolor, C. labiata, C. luteola, C. percivaliana, C. trianӕ.*
Les hybrides de Cattleya
Fleurs de printemps :
Bonnie Lisa, La Tuilerio,

Lemförder tricolore, Moneymaker, Shellie Compton.
Fleurs d'été : *Princess Margaret, Wichmanns Liebling.*
Fleurs d'hiver : *Edwin Hausermann.*

Particularités
Hybrides blancs - fleurs d'été : *Schwanendaunen.*
En hiver : *David Bishop, jarӕ Lyn Sugiyama "Patrician", Periwalker.*
Hybrides jaunes - fleurs de printemps : *Hardyana "Clement Moore x Jane Helton", Madame Dubarry "Lemförde" Rheinfels.*
Hybrides parfumés - fleurs de printemps : *Amy wakasugi "Su Lin", Robert Tan.*

Les fleurs de Cymbidium *sont renommées pour leurs formes diverses, leurs couleurs et leurs motifs exotiques.*

Cymbidium

Le genre *Cymbidium* est sans doute, parmi les orchidées, le meilleur pourvoyeur de fleurs coupées. Des milliers de panicules venus surtout de Thaïlande inondent les marchés du monde entier. Rien d'étonnant, compte tenu de la longévité et de la palette de couleurs de cette fleur !

Il y aurait environ 50 à 60 espèces de *Cymbidium*. On en trouve dans les régions les plus diverses, dans la forêt tropicale comme dans les lieux relativement secs. Ce sont des orchidées terrestres, mais certaines poussent aussi sur les arbres ou les rochers. Le nom cymbidium dérive du grec : *kymbos* = barque, et fait référence au labelle recourbé comme une barque. Cette orchidée se caractérise par ses racines épaisses et charnues et ses feuilles coriaces. Elles sortent en longues lanières de pseudo-bulbes le plus souvent ovales. Le panicule pousse au pied du bulbe. Les fleurs sont cireuses et durent longtemps. Dans le commerce on trouve des hybrides de *Cymbidium*, du type dit standard, qui deviennent très grands. Ces fleurs sont les favorites des serres froides et vérandas. Pour l'intérieur, préférez des variétés à floraison précoce, et surtout les Cymbidium-nains (voir page 45). Leurs ancêtres venaient des pays chauds et ils supportent donc mieux les pièces chauffées. Ils ne dépassent pas 1 m et fleurissent à partir de l'automne.

Origine : Asie tropicale, Australie.

Zone de température : tempérée à chaude, fraîche pour certaines espèces.

Epoque de floraison : variable suivant les espèces et hybrides.

Coloris : blanc crème, jaune, rose, vert, rouge, orange, brun, violet.

Exposition : aérée toute l'année, très claire et ensoleillée. Pour les types "standard" et les Cymbidium-nains assez âgés, séjour en plein air l'été ; emplacement clair sans ensoleillement direct, de mi-juin à fin septembre.

Température : chaud le jour en été, nettement plus frais la nuit à partir de juillet-août. 20 °C le jour en hiver, un peu moins la nuit. Pour les hybrides de grande taille, 7 à 10 °C suffisent la nuit, les Cymbidium-nains ne supportent pas bien les températures inférieures à 15 °C.

Les photos représentent des hybrides de Cymbidium

1 - Red Beauty "Wendy"
2 - hybride blanc avec des lèvres tigrées
3 - Starbright Capella
4 - Vanguard
5 - hybride vert avec des lèvres tachetées
6 - Sensation Chianti
7 - Halleluja
8 - Sylvia Müller Citronella

Eau : arrosez copieusement de mars à fin septembre, nettement moins à la fin de l'automne et en hiver. Veillez à maintenir une atmosphère très humide, vaporisez souvent, même en hiver.

Engrais : toutes les 4 semaines de mars-avril à la fin de l'automne.

Rempotage : tous les 2 ans au printemps. Pour les espèces qui fleurissent au printemps ou en hiver, après la floraison.

Sol : voir page 25.

Multiplication : par division des bulbes (voir page 37) de préférence au moment du rempotage (voir page 27).

Parasites, maladies : acariens quand l'air est trop sec. Les feuilles piquetées de jaune et décolorées sont le signe d'une virose. Isolez la plante et demandez conseil à un spécialiste.

Mon conseil : si le Cymbidium est une plante robuste, elle est aussi capricieuse en ce qui concerne la floraison. J'ai constaté qu'elle a besoin de beaucoup de lumière et de chocs thermiques au moment de la formation des boutons floraux. Cette induction florale se produit en mai-juin chez les hybrides et les variétés qui fleurissent de septembre à janvier, d'août à octobre pour ceux qui fleurissent de février à mai. Pendant cette période, la plante a besoin de beaucoup de chaleur pendant la journée, et d'une grande fraîcheur la nuit.

Les espèces de Cymbidium

Fleurs de printemps : *C. devonianum, C. lowianum.*
Fleurs d'été : *C. aloifolium.*
Fleurs d'automne : *C. giganteum.*
Fleurs d'hiver : *C. eburneum.*

Les types standard (hybrides)

Fleurs de printemps : *Jungfrau Münz, Trade Winds "Clan Steward".*
Fleurs d'automne : *Baltic Dream, Drama shooting star, Magpie.*
Fleurs d'hiver : *Advent Charm, Kurun "Magie".*

Cymbidium-nains

Fleurs d'hiver et de printemps : *Agnes Norton "Show off", Dag Oleste, Excalibur, Mary Pinchess "Del Rey", Miniatures Delight* (pour suspensions), *Minneken "Pink Tower", Lemförde Surprise"* (parfumée).

Hybride de Cymbidium cassiopeia.

45

Dendrobium densiflorum, l'une des plus belles espèces.

Dendrobium

C'est le deuxième genre par importance dans la famille des orchidées. Il en existe une centaine d'espèces. La plupart des cultivars se caractérisent par leurs pseudobulbes tubulaires qui ressemblent un peu à des tiges de bambou. Ces troncs se ramifient souvent, et les fleurs se développent à l'aisselle des branches, même sur les pousses de l'année précédente qui n'ont pas de feuilles. Les inflorescences forment des grappes, des guirlandes ou des épis. Dans son pays d'origine, *Dendrobium* vit tout en haut des arbres. Le nom du genre dérive de ce mode de vie particulier (*dendros* = arbre ; *bios* = vie.). *Dendrobium phalænopsis* et ses hybrides, qui aiment la chaleur, sont connus pour tenir longtemps en fleur coupée. On propose pour les potées les espèces et cultivars qui aiment la fraîcheur, comme *Dendrobium nobile* et ses hybrides, qui fleurissent au printemps. Si vous êtes débutant, préférez *Dendrobium pierardii*, *Dendrobium crepidatum*, ou *Dendrobium kingianum*. *Important :* quand vous achetez un *Dendrobium*, renseignez-vous toujours auprès des professionnels sur ses exigences thermiques.

Origine : Asie, Malaisie et Australie.
Zone de température : fraîche, tempérée ou chaude.
Epoque de floraison : surtout le printemps et l'hiver, certaines fleurissent en été ou en automne.
Coloris : blanc (souvent nuancé de rose ou de mauve), rose, rouge (clair à foncé), violet, jaune, orange, crème.
Exposition : claire toute l'année. Au printemps et en été, protégez de l'ensoleillement direct.
Température : variable selon l'espèce. Pour les espèces fraîches, 15 à 18 °C pendant la journée en été, 13 °C la nuit ; en hiver, 13 °C minimum le jour, 10 °C la nuit. Pour les espèces tempérées, 23 °C en été le jour, plus frais la nuit ; en hiver, 16 °C le jour, 12 °C la nuit. Pour les espèces chaudes, jusqu'à 30 °C le jour en été, pas plus de 20 °C la nuit ; en hiver, 22 °C le jour, 18 °C la nuit. On garde les hybrides de *Dendrobium nobile* au chaud en été, à 10 °C en automne-hiver, pour la formation des boutons floraux.
Eau : beaucoup d'humidité atmosphérique en été. De mars à septembre, arrosez copieusement. Pour les espèces de zones fraîches et tempérées, gardez presque au sec en automne-hiver. Vaporisez fréquemment, mais seulement le matin. Pour les espèces de zones

Dendrobium parishii *ressemble à* Dendrobium nobile.

Dendrobium minax, *très répandu aux îles Moluques.*

chaudes, maintenez légèrement humide tout au long de l'année.

Engrais : de mars à septembre, tous les 15 jours.

Rempotage : tous les 2 ans, après la floraison. Utilisez des pots de petite taille, des suspensions pour les fleurs à port retombant.

Sol : voir page 25.

Multiplication : par enracinement de plantules (page 38), division de bulbes (page 37) ou de touffes (page 38).

Parasites, maladies : rares. Surveillez les escargots quand vous mettez vos plantes dehors. Ils ont tendance à se cacher dans le feuillage.

Particularités : certaines espèces perdent leurs feuilles, d'autres refleurissent sur les anciens bulbes. Ne jetez pas systématiquement les *Dendrobium* lorsqu'ils sont défeuillés.

Mon conseil : à partir de juin, je place ou suspends mon *Dendrobium kingianum* dans le jardin, à un emplacement très clair sans ensoleillement direct, et à l'abri du vent. A partir de septembre, je le mets en plein soleil. La différence entre les températures diurnes et nocturnes stimule la croissance et la formation des boutons floraux.

Les espèces des zones fraîches et tempérées

Fleurs de printemps :
D. aggregatum,
D. chrysotoxum,
D. crepidatum,
D. densiflorum,
D. jamesianum,
D. kingianum, D. nobile,
D. parishii, D. pierardii.
Fleurs d'été :
D. densiflorum.
Fleurs d'hiver :
D. phalænopsis.

Espèces parfumées

Fleurs de printemps :
D. primulinum,
D. speciosum,
D. superbum.

Hybrides pour exposition chaude

Fleurs de printemps :
Doreen x Pale Face,
Garnet Beauty, Indigo.

Remarque : je cultive *Coelogyne cristata* (photos pages 10 et 40/41) comme *Dendrobium kingianum*. Au frais et à la lumière en hiver, devant la fenêtre d'une pièce non chauffée ; au jardin en été, à un endroit frais, humide et à demi-ombragé. Du printemps à octobre, je maintiens l'humidité et je fertilise une fois par mois. En automne, il faut réduire les arrosages.pour que les boutons floraux apparaissent à partir de décembre, ils ressemblent à des piques qui vont se transformer en mars en inflorescences retombant avec élégance.

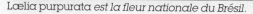

Lælia purpurata est la fleur nationale du Brésil.

Hybrides de Læliocattleya aux fleurs de couleurs vives.

Lælia

Les genres *Lælia* et *Cattleya* sont très proches ; on les cultive de la même façon et on les hybride souvent ensemble.
Ce genre, qui se compose d'environ 50 espèces, est remarquable pour ses fleurs.
Lælia doit son nom à la jeune romaine Lælia, ou au chef de guerre Gaïus Lælius. Dans son pays d'origine, cette orchidée est épiphyte le plus souvent. Il existe aussi des espèces lithophytes (poussant sur des pierres). Ces dernières conviennent bien aux débutants, par exemple *Lælia cinnabarina*, rouge cinabre.

Lælia pumila est très belle, avec ses fleurs de 10 cm.
Lælia purpurata est la fleur nationale du Brésil : c'est une beauté superbe, avec sa fleur au labelle pourpre. Si vous cherchez un orange intense, c'est *Lælia harpophylla* qu'il vous faut.

Origine : Amérique tropicale.
Zone de température : tempérée, plus fraîche pour certaines espèces.
Epoque de floraison : variable suivant les espèces.
Coloris : rouge, orange, jaune, blanc, violet.
Emplacement : clair à mi-ombre.
Température : au printemps et en été, 18 à 24 °C le jour, la nuit et en

automne-hiver, 4 °C de moins.
Eau : en été, suivant les besoins, en hiver, juste assez pour éviter le flétrissement des feuilles et pseudo-bulbes. Veillez à l'humidité atmosphérique.
Engrais : tous les 3 arrosages pendant la période de croissance.
Rempotage : tous les 2 ou 3 ans.
Sol : voir page 25.
Multiplication : par division des bulbes (voir page 37).
Parasites, maladies : évitez l'air confiné, la plante ne le supporte pas.

Espèces de Lælia
Fleurs de printemps :
L. cinnabarina, L. purpurata.

Les photos représentent des hybrides de Læliocattleya
1 - Blanche, centre du labelle jaune
2 - Creamton
3 - Lemon Yellow
4 - Culminari Recital

Fleurs d'été : *L. autumnalis, L. pumila.*
Fleurs d'hiver : *L. anceps, L. autumnalis, L. harpophylla.*

Læliocattleya
Fleurs de printemps : *Læliocattleya* Alma Wichmann.
Fleurs d'été : *Læliocattleya* Max und Moritz, *Læliocattleya* Wintermärchen.

Miltonia (Miltoniopsis) Robert Strauss *fleurit principalement au printemps.*

Miltonia

Les *Miltonia* se répartissent en deux groupes : l'un, originaire principalement du Brésil, supporte un peu plus de chaleur et se prête davantage à la culture en intérieur. Ce sont les espèces du genre Miltonia proprement dit. L'autre groupe fait partie des orchidées des forêts brumeuses des Andes et exige tout au long de l'année un air frais et humide. Ce sont les "Miltonia-pensée", que l'on range aujourd'hui dans un genre particulier, les *Miltoniopsis*. Le genre Miltonia comprend 15 espèces, y compris les espèces *Miltoniopsis*. Ces plantes, au mode de vie épiphyte, possèdent le plus souvent des pseudo-bulbes vert clair et aplatis, portant deux ou trois feuilles étroites, une seule dans le genre *Miltoniopsis*. Les fleurs se forment toujours à la base des pseudo-bulbes les plus récents.

Origine : Amérique du Sud.
Zone de température : tempérée à fraîche
Floraison : été-automne ou toute l'année.
Coloris : multicolore. Blanc et rouge ou rose, ou orange et brun foncé.
Emplacement : clair toute l'année, mais sans ensoleillement direct. Supporte aussi la mi-ombre.
Température : en été, pas plus de 25 °C, environ 20 °C en hiver, 15 à 18 °C la nuit.

Eau : maintenez une humidité régulière, arrosages mesurés en hiver. Veillez à l'humidité atmosphérique.
Engrais : toutes les 3 semaines au printemps et en été, à des doses très diluées.
Rempotage : uniquement si nécessaire, à l'automne ou au printemps.
Sol : voir page 25.
Multiplication : par division des bulbes au moment du rempotage (voir page 37).
Parasites, maladies : seulement dans le cas d'erreurs de culture. Une légère coloration rouge des feuilles peut être le signe d'un éclairement trop fort.

Mon conseil : les *Miltonia* ne sont pas de culture facile. Les racines sont très sensibles aux brûlures d'engrais et à la pourriture par excès d'eau. Bien qu'une humidité atmosphérique importante leur soit nécessaire, attention à ne pas trop vaporiser.

Les espèces de Miltonia pour régions tempérées
Fleurs d'été et d'automne :
M. clowesii, M. flavescens, M. spectabilis.
Hybrides de Miltonia :
Miltonia-pensées.
Fleurs d'été et d'automne :
Anneliese Weber, Celle, Fritz Wichmann, Gascogne x Hambourg, Goodale Moir "Golden wonder", Hambühren, Koala, Pink Frill, Rouge "California Plum".

Odontoglossum bictoniense, dans les forêts de montagne. *Hybrides multigénériques d'Odontoglossum.*

Odontoglossum

La plupart des quelques 100 espèces sont des beautés des montagnes fraîches. Elles poussent à des altitudes entre 1 500 et 3 000 m. Certaines sont même résistantes à de courtes périodes de gel. Le genre tient son nom de la fleur originale, qui porte parfois à la base du labelle des protubérances semblables à des dents (en grec, *odontos* = dent, *glossos* = langue). Les pseudo-bulbes sont plats et ovoïdes et portent une à trois feuilles, tandis que les hampes florales en forme de grappes apparaissent à la base et poussent vers le haut.

Recommandées aux débutants :
Odontoglossum grande (depuis peu, on l'appelle *Rossioglossum grande*), *Odontoglossum bictoniense*, *Odontoglossum pulchellum* (parfum de muguet), *Odontoglossum crispum* et ses cultivars comme Etoîle de Colombie.
Par ses magnifiques hampes florales et ses capacités extraordinaires de mutation, elle se prête à de multiples croisements pour créer des hybrides de genre et des hybrides multigénériques, dont les plus connus sont :
*Vuylstekeara :
Odontoglossum* x *Cochlioda* x *Miltonia.*
*Wilsonara :
Odontoglossum* x *Cochlioda* x *Oncidium.*
*Odontioda :
Odontoglossum* x *Cochlioda.*
*Odontocidium :
Odontoglossum* x *Oncidium.*
*Odontonia :
Odontoglossum* x *Miltonia.*

Origine : Amérique centrale et du Sud.
Zone de température : fraîche à légèrement tempérée.
Floraison : de l'automne au printemps.
Coloris : jaune délicat, tigré ou tacheté de brun. Blanc et rose ou rouge.

Les photos représentent :
1 - *Vuylstekeara* Cambria
2 - *Vuylstekeara* Cambria "Plush"
3 - *Odontonia* Marie Noël
4 - *Odontonia* Burkhard Wedringen

Exposition : clair à mi-ombre, fenêtre à l'est, à l'ouest ou au nord. En été, fenêtre au sud.
Température : en été, 20 à 24 °C, plus frais la nuit. 14 °C en hiver, 12 °C la nuit. Températures un peu plus élevées pour les espèces de zone tempérée.
Eau : maintenez une humidité régulière pendant

Vuylstekeara Cambria *"Lensing's Favorit"*, un autre hybride multigénérique très prospère.

la période de croissance. En hiver, arrosez juste assez pour éviter le dessèchement des bulbes et du sol. Veillez à maintenir une humidité atmosphérique importante

Engrais : tous les 15 jours entre juin et août. Préférez les engrais foliaires, vous ne risquerez pas la saturation du sol et les brûlures des racines.

Rempotage : tous les 2 à 3 ans, en automne ou au printemps.

Sol : voir page 25.

Multiplication : par séparation des bulbes (voir page 37).

Parasites, maladies : en cas d'erreurs de culture graves. Si l'humidité

atmosphérique est insuffisante, "feuilles en accordéon" (voir page 31).

Mon conseil : avez-vous un jardin ? Si oui, pendez votre *Odontoglossum* à partir de juin dans un arbre au feuillage léger. Mais n'oubliez pas d'arroser quand il fait très chaud et sec. Si l'été est pluvieux, rentrez l'orchidée pour éviter les risques de pourriture. En septembre, ne craignez pas une exposition bien ensoleillée, bénéfique pour les bulbes et la formation des boutons floraux. A partir d'octobre, il faut rentrer l'orchidée, par exemple en véranda fraîche. Si l'éclairement

est suffisant, elle va former une profusion de boutons floraux pour l'année suivante.

Les espèces d'Odontoglossum :
Fleurs de printemps : *O. cariniferum* (légèrement tempérée), *O. pulchellum, O. rossii.* Fleurs d'automne : *O. bictoniense* (légèrement tempéré). Fleurs d'hiver : *O. crispum.*

Les espèces de Rossioglossum
(zones légèrement tempérées) Fleurs d'automne et d'hiver : *R. grande, R. insleayi, R. williamsianum*

Les hybrides d'Odontoglossum
Floraison toute l'année : Anneliese Rothenberg, Burghard Holm, Gudrun Hambünhren, Hans Koch, Etoile de Colombie.

Les hybrides multigénériques
Odontioda Coronation, *Odontioda* Feuerkugel. *Odontonia* Burghard Wedringen, *Odontonia* Lulli Menuett, *Odontonia* Marie Noël, *Odontonia* Polka. *Odontocidium* Tiger Hambühren. *Vuylstekeara* Cambria "Plush", *Vuylstekeara* Edna "Stamperland", *Vuylstekeara* Hambühren. *Wilsonara* Hambühren "Stern", Wilsonara Tigersette "Lemförde".

Oncidium Forbesii *fut découverte en 1837 dans la sierra brésilienne.*

Oncidium
Orchidée-papillon

Oncidium papilio a donné le nom commun d'orchidée-papillon. En fait les botanistes ne considèrent plus que cette espèce appartienne au genre *Oncidium*, ils la classent dans un genre particulier : *Psychopsis*, avec sa sœur *Oncidium kramerianum*. Le genre *Oncidium* comporte une centaine d'espèces réparties dans les zones de température les plus variées et sous les formes les plus diverses : à bulbes grands ou petits, feuilles étroites ou larges, charnues ou sèches et dures. Les hampes florales sont garnies de fleurs petites et délicates. Le genre doit son nom aux excroissances calleuses à la base du labelle (en grec, *oncos* = masse calleuse). Les fleurs sont souvent striées ou tachetées. Le premier représentant du genre - il s'agissait d'*Oncidium flexuosum* - fut importé en 1818 des montagnes brésiliennes. Aujourd'hui, on trouve plus de 50 espèces différentes dans le commerce. Il est important de savoir les exigences thermiques de l'espèce que vous voulez acheter : n'hésitez pas à demander au vendeur.

Origine : Amérique subtropicale et tropicale, Caraïbes.

Oncidium ornithorhychnum : *fleurs très parfumées.*

Oncidium *Susan Kaufmann, beauté or et feu.*

Zone de température : tempérée, fraîche ou chaude pour certaines espèces.

Floraison : variable suivant l'espèce.

Coloris : jaune, brun, rose, rouge et blanc, avec toutes les associations possibles.

Exposition : claire à mi-ombre, sans ensoleillement direct, sauf en hiver.

Température : chaude en été, plus fraîche la nuit. Pour les *Oncidium* de zone tempérée, 15 °C dans la journée en hiver, pour les *Oncidium* de zone chaude, 20 °C.

Eau : maintenez toujours humide dès le début de la période de végétation.

En hiver, arrosez juste assez pour éviter que les pseudo-bulbes ou les feuilles ne se flétrissent. Veillez à maintenir une humidité atmosphérique élevée, mais soyez prudent avec les vaporisations en hiver et au printemps. Les jeunes pousses pourrissent facilement.

Engrais : toutes les 3 semaines en période de croissance.

Rempotage : si besoin est, à la fin de la floraison, quand les racines et les jeunes pousses reprennent leur végétation.

Multiplication : au moment du rempotage, par division des bulbes.

Ne faites pas des éclats trop restreints (voir page 37).

Sol : voir page 25.

Parasites, maladies : seulement si vous faîtes des erreurs graves.

Mon conseil : ne coupez pas les hampes défleuries d'*Oncidium kramerianum* et *Oncidium papilio*. L'année suivante, de nouveaux boutons apparaisent sur la même tige.

Les espèces d'Oncidium pour zone tempérée
Fleurs de printemps :
O. leucochilum,
O. sphacelatum.
Fleurs d'été :

O. carthagenense,
O. concolor,
O. flexuosum.
Fleurs d'automne :
O. forbesii,
O. ornithorhychnum (parfumée),
O. variecosum.
Fleurs d'hiver :
O. tigrinum.
Les espèces pour zone chaude
Fleurs d'été et d'automne : *O. papilio,*
O. kramerianum.
Hybrides d'Oncidium pour zone tempérée
Afternoon Delight, Goldrausch, Jorge Verboonen, Rogersii, Chaperon rouge, Thilo.
Hybrides d'Oncidium pour zone chaude
Golden Cascade.

Hybride de Paphiopedilum *jaune à motifs rouges.*

Les hybrides de Paphiopedilum *sont très résistants*

Paphiopedilum
Sabot de Vénus

Doit son nom à son labelle en forme de chausson (en Grec, *Paphos* est une île où se trouve un temple de Vénus, *pedilum* = chausson). Il existe plus de 60 espèces exclusivement réparties en Asie. Mais le nombre des hybrides est bien plus important. Pour éviter l'extinction des espèces, l'amateur devra se cantonner aux formes cultivées. Elles ont l'avantage d'être bien plus résistantes et de culture plus facile. Le sabot de Vénus est une orchidée terrestre, mais certaines espèces sont épiphytes ou lithophytes. Elle vit dans les étages les plus bas de la forêt vierge jusqu'à 2 000 m d'altitude. Mais la plupart poussent dans les régions à mousson où le climat présente d'importantes variations. Celles qui poussent dans les régions fraîches ont des feuilles plutôt vert tendre ; en région chaude, les feuilles sont marbrées. Chaque rosette de feuille ne porte qu'une fois une tige florale. Puis de nouvelles rosettes de feuilles vont se former à l'aisselle de la précédente. Le premier Sabot de Vénus - *Paphiopedilum insigne* - fut importé en 1819 de l'Himalaya. En 1869 naissait le premier hybride en Angleterre. Aujrd'hui, la plupart sont issues d'espèces de zone chaude.

Origine : Asie tropicale et subtropicale.
Zone de température : chaude à tempérée, plus rarement fraîche.
Floraison : variable suivant les espèces et hybrides.
Coloris : blanc, jaune, brun, pourpre ; tacheté et tigré.
Exposition : mi-ombre en été, claire en hiver, mais jamais d'ensoleillement direct.
Température : toute l'année température ambiante de l'appartement, plus frais la nuit. En été, 25 °C le jour, en hiver 15 °C la nuit. En septembre, en fin de végétation, mettre au frais la nuit, au soleil pendant la journée durant 2 à 3 semaines.

Eau : maintenez une humidité modérée mais régulière. Arrosez quand le sol est bien ressuyé. En hiver, arrosez encore moins, et seulement le midi. Maintenez une humidité élevée. Vaporisez souvent le feuillage.
Engrais : toutes les 3 semaines entre avril et septembre.
Rempotage : tous les 2 ans, et seulement si le sol est devenu trop compact ou malodorant.
Sol : voir page 25.
Multiplication : par division (voir page 37). Le sabot de Vénus pousse mieux en formation serrée, et devient chaque année plus somptueux si vous ne le divisez pas.

Parasites, maladies :
attaques d'acariens et de
cochenilles. Risque de
pourriture des boutons,
des feuilles et des racines
si l'eau stagne.

Mon conseil : le Sabot de
Vénus aime de temps
en temps un peu de chaux.
Je donne à mes plantes
un amendement composé
de lœss riche en oxyde
de chaux, en acide
salicilique, et en oligo-
éléments. Il suffit d'une
pointe de couteau par
litre d'eau.

**Les espèces de
Paphiopedilum**
Fleurs de printemps :
*P. barbatum,
P. bellatulum,
P. hirsutissimum,
P. sukhakulii.*
Fleurs d'été : *P. callosum.*
Fleurs d'automne :
*P. concolor, P. fairrieanum,
P. spicerianum,*
Fleurs d'hiver : *P. insigne,
P. venustum, P. villosum.*
**Hybrides de
Paphiopedimum**
Fleurs d'automne ou d'hiver :
Aladin, China Girl, Goliath,
Kehler, King Arthur,
Lemförde Novelty, Maudiao.

Paphiopedilum callosum, (origine : Asie du sud-est), a été importé en Europe en 1885.

Paphiopedilum sukhakulii pousse en Thaïlande, dans les sables limoneux.

Les hybrides de Phalænopsis *fleurissent toute l'année.*

Les fleurs délicates de Doritænopsis Malibu Queen.

Phalænopsis

Ses fleurs élégantes poussent sur de longues tiges arquées en forme de papillon d'où leur nom de *Phalænopsis*. Le botaniste hollandais Blume le découvrit en 1825, il le compara à des papillons de nuit tropicaux (en Grec : *phalaina* = papillon de nuit et *opsis* = apparence). Le genre comporte 50 espèces épiphytes (qui poussent sur les arbres) ou lithophytes (qui poussent sur les rochers ou les berges couvertes de mousse). En Asie tropicale, elles ne poussent pas au-dessus de 400 m et presque exclusivement dans les sous-bois ombragés et humides. Comme elles proviennent de régions aux températures assez constantes, elles n'ont pas besoin de pseudo-bulbes. Mais elles possèdent un système radiculaire très important, qui s'accroche partout et n'est pas facile à détacher. Les feuilles de l'orchidée papillon sont charnues et assez larges. Si vous la cultivez dans les meilleures conditions, vous aurez des fleurs toute l'année. Les *Phalænopsis* ont l'apparence de porcelaines fragiles mais ils ne sont pas compliqués. C'est l'orchidée la plus courante en intérieur. On trouve dans le commerce des espèces, des hybrides intragénériques et des hybrides intergénériques. Les types en étoile, très résistants, créés dans les années 50, déchaînent encore les enthousiasmes. Leurs pétales sont plus étroits, vaporeux et très difficiles à détacher. Hybrides intergénériques les plus connus
Asconopsis : Ascocentrum x *Phalænopsis*.
Doritænopsis : Doritis x *Phalænopsis*.
Renanthopsis : Renanthera x *Phalænopsis*.

Origine : Inde, Asie du sud-est, Indonésie, Philippines, Australie septentrionale.
Zone de température : chaude.
Floraison : toute l'année.
Coloris : blanc, rouge, rose, violet, jaune, brun, vert, or ; rayé, tigré, piqueté.
Exposition : mi-ombre en été, claire en hiver, mais sans ensoleillement direct.
Température : chaude toute l'année (20 à 22 °C le jour, jamais en dessous de 18 °C la nuit), encore plus chaud en été ; en automne, prévoir une période plus fraîche de 4 à 6 semaines (environ 16 °C) pour stimuler la formation des boutons floraux.
Eau : maintenir une humidité modérée toute l'année. Le sol ne doit jamais être tout à fait sec, mais attendez qu'il soit bien ressuyé avant d'arroser. N'utilisez que de l'eau très douce et tiède. N'arrosez jamais le cœur de la plante,

vous la feriez pourrir. Mais vaporisez souvent le feuillage. Maintenez une humidité atmosphérique élevée, surtout pour les *Phalænopsis* ; les hybrides supportent mieux la sécheresse des intérieurs.

Engrais : tous les 15 jours en période de croissance.

Rempotage : tous les 2 ans au printemps. Attention à ne pas blesser les racines très sensibles.

Sol : voir page 25.

Multiplication : en faisant enraciner les pousses adventives qui se forment sur les hampes florales (illustration page 38).

Parasites, maladies : maladies cryptogamiques par excès d'arrosage ; cochenilles si l'air est trop sec ; chute des boutons floraux si l'exposition est trop sombre. En serre, attention aux escargots.

Particularités : les racines de *Phalænopsis* ont besoin de beaucoup d'air. Evitez à tout prix l'eau qui stagne. Quand vous rempotez, choisissez un sol très grossier, bien perméable à l'air et à l'eau.

Mon conseil :

Phalænopsis peut refleurir 2 ou 3 fois sur la même hampe si vous la taillez au-dessus du 3e ou 4e nœud avant qu'elle ne soit défleurie.

Les espèces de Phalænopsis

Fleurs de printemps : *P. lueddemanniana, P. sanderiana, P. schilleriana, P. stuartiana.*
Fleurs d'été :
P. lueddemanniana,

Les photos représentent des hybrides de Phalænopsis :

1 - Mambo
2 - Hybride piqueté de rouge
3 - Hybride à pétales étroits
4 - Cassandre
5 - Hokuspokus (Tour de passe passe)
6 - Hybride jaune tendre
7 - Hybride rose
8 - Rudolf Baudistel

P. violacea.
Fleurs d'automne :
P. amabilis.
Très recommandée :
P. amboiensis, qui fleurit du printemps à l'automne.

Hybrides de Phalænopsis

Fleurs toute l'année : Bernstein, bolero, Bronze Maiden (parfumée), Canary, Eisvogel, Elsa Münz, Golden Sands, Goldfliegen, Grace Palm, Haller Spatz, Hello Dolly, How Lucky, Julia Reuter "Darling", Lemförder Tiger, Lemförder Superviolet, Lipperose, Mambo, Mildred's Baby, Morgenröte (Aurore), North Carolina x White Medaillon, Niedersachsen, rose Satin, Schneeglanz (Eclat des Neiges), Schöne von Celle (Belle de Cellen), Unnarose, Zauberrose (Rose magique), Zauberrot (Rouge magique).

Croisements de Phalænopsis et Doritis

Fleurs d'automne : Doritænopsis Fuchsia Princess, Doritænopsis Malibu Queen, Doritænopsis Mme. Clarence Schubert.

Les hybrides de Phalænopsis sont innombrables.

Vanda tricolor *s'appelle aussi* Vanda suaveolens, Vanda *au parfum suave.*

Vanda

On trouve 40 espèces dans le pays d'origine ; la plupart sont épiphytes. Les feuilles coriaces, rubanées sont réparties par couples le long de la tige, ou se recouvrent comme des tuiles. Les fleurs poussent au bout de pédoncules droits qui sortent sur le côté du point d'insertion des feuilles. En serre ou en véranda, *Vanda* dépasse rarement 1,20 m. La plus belle espèce est sévèrement protégée : *Vanda coerulea.* Ses fleurs sont d'un bleu incomparable. *Vanda tricolo*r, exhale un parfum puissant. Dans les jardineries spécialisées vous trouverez d'autres espèces à cultiver ainsi que des hybrides à grandes fleurs. Pour les bords de fenêtre, préférez les plantes issues de croisement avec *Ascocentrum,* qui restent plus petites.

Origine : Asie tropicale.
Zone de température : tempérée à chaude.
Floraison : variable, selon l'espèce ou la variété.
Coloris : crème, rose, rouge orangé, mauve, lilas pâle, bleu, violet.
Exposition : la plus claire et ensoleillée possible tout au long de l'année.
Température : 18 à 20 °C le jour en hiver, plus de 25 °C en été. La nuit, faire baisser de quelques degrés. *Vanda coerulea, Vanda cristata* et *Vanda kimballiana* préfèrent une température plus fraîche.
Eau : entre mai et septembre, pendant la période de croissance, arrosez abondamment et vaporisez chaque jour. N'oubliez pas les racines aériennes. En hiver, arrosez très modérément ; pas de vaporisation.
Engrais : au printemps et en été, tous les 15 jours, à des doses très diluées.
Rempotage : seulement quand le pot devient trop petit, tous les 2 à 3 ans.
Sol : voir page 25.
Multiplication : par division ou stolons (voir page 37).
Parasites, maladies : chute des boutons si la chaleur est insuffisante. Floraison paresseuse si la lumière est insuffisante.

Mon conseil : les *Vanda* aiment pouvoir laisser pendre leurs racines aériennes au dehors du pot.

Les espèces de Vanda
Fleurs d'automne et d'hiver : *V. coerulea, V. kimballiana, V. tricolor.* Fleurs de printemps ou d'été : *V. cristata, V. sanderiana.*
Les hybrides de Vanda
Fleurs de printemps : Nelly Morley, Blaue Donau (Danube bleu).
Fleurs d'été : Onomea, Rose Davies.
Fleurs d'hiver : Rothschildiana.

Zygopetalum

A l'époque où les appartements étaient chauffés au poêle, les abords de la fenêtre restaient frais et *Zygopetalum*, avec ses 60 à 70 cm, était une plante d'intérieur appréciée. Les premières espèces - *Zygopetalum crinitum* et *Zygopetalum mackaii* - furent importées en Angleterre entre 1826 et 1829. En 1827, Sir William Hooker créa le genre dans le *Botanical Magazine*. Il comporte une trentaine d'espèces, dont la plupart sont originaires du Brésil. *Zygopetalum* possède des pseudo-bulbes ovoïdes d'où sortent deux (ou davantage) feuilles étroites et lancéolées. Les fleurs apparaissent sur le côté des pseudo-bulbes et ont souvent des coloris et des dessins remarquables. Presque toutes les espèces possèdent de nombreuses racines épaisses et préfèrent les pots de grande taille. Le nom étrange de cette orchidée est d'origine grecque et fait allusion au cal qui se trouve à la base du labelle et qui retient les pétales ensemble comme un collier de cheval (en Grec, *zygon* = collier, *petalon* = pétale).

Origine : Amérique du Sud.
Zone de température : tempérée

Floraison : hiver.
Coloris : brun, rose, rouge, vert, violet.
Exposition : claire à mi-ombre.
Température : celle de l'appartement. En hiver, atmosphère plus fraîche et aérée (15 à 18 °C).
Eau : maintenez une humidité modérée toute l'année. Veillez à l'humidité atmosphérique mais évitez de vaporiser le feuillage, ce qui risque de le tacher.
Engrais : du printemps à l'automne, tous les 15 jours, à doses très diluées.
Rempotage : chaque année : *Zygopetalum* n'aime pas être à l'étroit.
Sol : voir page 25.
Multiplication : division des bulbes qui portent des feuilles (voir page 37).
Parasites, maladies : si l'humidité est trop importante, pourriture des racines ou maladies cryptogamiques sur les feuilles. Si l'air est confiné, thrips et araignées rouges (acariens).

Mon conseil :
les hampes florales peuvent être très lourdes, tuteurez-les.

Les espèces de Zygopetalum
Fleurs d'hiver :
Z. crinitum (= *Z. makkaii*), *Z. intermedium*.

Hybrides de Zygopetalum
Artur Elle, John Banks, Seagulls Landing.

Zygopetalum Artur Elle *est très originale.*

CUISINE — 25 menus en 25 minutes • Agneau • Barbecue • Bœuf • Bricks, feuilletés et croustillants • Brunchs • Buffets • Céréales • Champignons • Chocolat • Cocktails • Cocktails pleine forme • Confitures et conserves • Cuisine alsacienne • Cuisine asiatique • Cuisine au tofou • Cuisine au wok • Cuisine aux condiments • Cuisine aux épices • Cuisine aux herbes • Cuisine bourguignonne • Cuisine bretonne • Cuisine chinoise • Cuisine créole • Cuisine d'extérieur • Cuisine de l'Auvergne et du Limousin • Cuisine de l'étudiant • Cuisine de Savoie et Dauphiné • Cuisine du Périgord • Cuisine du Sud-Ouest • Cuisine facile • Cuisine familiale • Cuisine grecque • Cuisine indienne • Cuisine indonésienne • Cuisine italienne • Cuisine juive • Cuisine libanaise • Cuisine lyonnaise • Cuisine marocaine • Cuisine minceur • Cuisine normande • Cuisine orientale • Cuisine petits prix • Cuisine pour bébés • Cuisine pour débutants • Cuisine pour deux • Cuisine pour écoliers • Cuisine pour les petits • Cuisine pour une personne • Cuisine provençale • Cuisine rapide • Cuisine russe • Cuisine scandinave • Cuisine Tex-Mex • Cuisine thaïe • Cuisine végétarienne • Desserts • Entrées et hors d'œuvre • Foies gras et confits • Fondues • Fruits exotiques • Gâteaux déco • Gibiers • Goûters-party • Gratins et soufflés • L'œuf • Le goût en quatre saveurs • Légumes • Liqueurs, sirops et ratafias • Mets et vins • Pains • Pâtes • Pâtisserie • Petits gâteaux • Pizzas et tourtes • Plateaux-télé • Plats mijotés • Plats uniques • Poissons • Pomme de terre • Recettes au foie gras • Risottos • Riz • Salades composées • Salades variées • Sauces • Soupes et potages • Tajines • Tapas et bouchées • Tartes et gâteaux • Terrines • Veau • Volailles •

ANIMAUX — Aquarium / Les plantes • Aquariums • Avoir un chat en appartement • Bergers allemands • Bichons • Boxers • Canari • Caniches • Chartreux • Chats • Chiens • Chiens de garde • Chinchillas • Cochon d'Inde • Éduquer son chien • Entraîner son chien • Hamster • Inséparables • Labrador • Lapin nain • Mon chien vieillit • Mon premier aquarium • Oiseaux du jardin • Perroquets • Perruche callopsitte • Perruches ondulées • Petits chiens • Poissons rouges • Serpents • Soigner son chat • Soigner son chien • Souris • Teckels • Terriers • Tortues • Tortues de terre • Westies • Yorkshires •

JARDINAGE — Arbres fruitiers • Bambous • Bégonias • Bien jardiner avec la lune • Bonsaï • Bouquets • Bouturage • Cactus • Conifères et arbustes miniatures • Constructions de jardin • Fleurs à bulbes • Fruits en pots • Géraniums / Pélargoniums • Greffage • Grimpantes et retombantes • Haies • Jardin de mois en mois • Jardinage facile • Jardinières et balconnières • Jardins d'eau • Légumes et fleurs pour balcons • Orchidées • Palmiers • Pelouses et gazons • Petits jardins • Plantes aromatiques • Plantes d'intérieur • Potager • Rhododendrons / Azalées • Rocailles • Roses • Semis • Soigner ses plantes d'intérieur • Soigner ses plantes de jardin • Taille • Un jardin Feng Shui •

DÉCORATION — Bijoux faciles • Bougies • Bracelets brésiliens • Collages • Couronnes de fêtes • Coussins et housses • Déco de fête • Décors de table • Encadrement • Fleurs séchées • Lampes • Maquillage pour enfants • Meubles peints • Miniatures • Objets déco • Pâpier mâché • Pâte à sel • Patines, peinture à effets • Peinture sur métal • Peinture sur soie • Peinture sur verre et porcelaine • Perles de rocaille • Pliages de serviettes • Pochoirs • Rideaux et stores • Tissus peints •

COUTURE — Déguisements pour enfants • Du neuf avec du vieux • Jouets en tissu • Jupes faciles • Sacs et trousses • Tenues d'été • Tenues d'intérieur • Tenues de fête • Trousseau de bébé • Vêtements pour enfants •

BEAUTÉ & FORME — À chacune sa coiffure • À chacune ses couleurs • À chacune son maquillage • À chacune son style • Maquillages de fête • Rester belle • Soins du corps • Soins du visage • Tatouages •

Index

Les chiffres en gras renvoient aux illustrations. C = photos de couverture.

Index

Adresses

Points de vente en France
Les orchidées de Michel Vacherot
CD 7 La Baume
83520 Roquebrune-sur-Argens

Vacherot et Lecoufle
29, rue de Valenton, BP 8
94470 Boissy-Saint-Léger Cedex

Orchidées Marcel Lecoufle
5, rue de Paris
94470 Boissy-Saint-Léger

Nature et Paysages
Peyrusse-Massas
32360 Jegun
(Orchidées de jardin)

Provence Orchidées
Route de Terrefort
13570 Barbentane

Exofleur
Chemin de Faudouas
31700 Cornebarrieu

Sociétés d'amateurs
Société française d'orchidophilie
(S.F.O.)
84, rue de Grenelle 75007 Paris

Fédération française des amateurs
d'orchidées Président : M. Martin
159 ter, rue de Paris
95680 Montlignon

Collections
La plupart des grands jardins
botaniques présentent
des collections d'orchidées.

Parmi les plus importantes, citons :
Le Museum d'histoire naturelle
de Paris, 1700 espèces dans
200 genres.

Les Jardins du Luxembourg (Paris)
possèdent environ 400 espèces
et cultivars et notamment
une collection exceptionnelle de
Paphiopedilum.

Les serres d'Auteuil à Paris
collectionnent 600 espèces et
variétés d'orchidées.

Crédits photographiques
Toutes les photos sont de Jürgen
Stork à l'exception de :
Burda/Stork : 20, 48 gauche,
54 gauche, 54 n°1 et 4, 57 n° 4 ;
Eisenbeiss : 24, 25, 40/41,
42 gauche, 47 gauche et droite,
48 n° 2, 50 gauche, 53 gauche,
55 haut, 56 droite, 58, 59 ;
Lückel : 7, 49 ; Wetterwald : 52.

Photo de couverture :
© Lamontagne

L'édition originale de cet ouvrage
a été publiée sous l'intitulé
*Orchideen, So gedeihen und
blühensie am besten* par Gräfe
und Unzer GmbH, München.

Traduction : Marie Duval.
Secrétariat d'édition,
composition et maquette :
Société Les Cours, Caen.

Conception graphique et réalisation
de la couverture:
Guylaine et Christophe Moi.

Dépôt légal : 7785.02.2001
N° éditeur : OF 09863
ISBN : 2-01-018091-7
62-63-0486-06-1
Impression : Canale
à Turin (Italie).